Edgar Allan Poe
(1809-1849)

Edgar Allan Poe (1809-1849) nasceu em Boston, nos Estados Unidos, filho de um casal de atores. Ambos sofriam de tuberculose e morreram em 1811. Edgar, então com dois anos de idade, foi adotado por John Allan – um rico comerciante – e, como único filho da abastada família, teve uma infância feliz.

Em 1826, Poe ingressou na Universidade de Virgínia. No primeiro semestre, passou a maior parte de seu tempo entre mulheres e bebidas. Nesse período, teve uma séria discussão com seu pai adotivo e fugiu de casa para se alistar no exército.

Alguns anos depois, sua mãe implorou ao marido que procurasse o filho para que fizessem as pazes. Isso aconteceu, mas os dois jamais conseguiram ter um bom relacionamento novamente. Após a morte da esposa, John Allan casou-se mais uma vez, e sua nova mulher repudiava o enteado. Em 1831, Poe saiu do exército e passou a vagar pelas ruas, sozinho e sem dinheiro. Nessa época, ele já escrevia poesias, porém com pouco sucesso.

No mesmo ano, formou uma nova família ao casar-se com a filha de catorze anos de uma tia sua. Eles se mudavam com frequência, e Poe pulava de emprego em emprego, publicando alguns contos esparsos. A família era muito pobre, passava frio e possivelmente até fome. Sua esposa era doente e Poe, quase um alcoólatra. Quando a mulher morreu, ele passou a cortejar viúvas ricas, e sua escrita tornou-se cada vez mais atormentada.

Apesar dos seus esforços, Poe morreu pobre e sozinho, com apenas quarenta anos.

Entre suas principais obras estão o poema "O corvo", o romance *O relato de Arthur Gordon Pym* e os contos "O gato preto" e "Assassinatos na rua Morgue", que o consagraram como um dos maiores nomes da

Livros do autor na Coleção **L&PM** POCKET:

Assassinatos na rua Morgue e outras histórias
A carta roubada e outras histórias de crime e mistério
O escaravelho de ouro e outras histórias (inclui *O mistério de Marie Rogêt*)
O relato de Arthur Gordon Pym

Edgar Allan Poe

ASSASSINATOS NA RUA MORGUE
e outras histórias

Tradução de William Lagos

www.lpm.com.br

L&PM POCKET

Coleção **L&PM** POCKET, vol. 269

Texto de acordo com a nova ortografia.

Título original: *Murders in the Rue Morgue and other stories*

Primeira edição na Coleção **L&PM** POCKET: abril de 2002
Esta reimpressão: fevereiro de 2022

Tradução: William Lagos
Capa: Ivan Pinheiro Machado
Revisão: Jó Saldanha e Renato Deitos

P743a Poe, Edgar Allan, 1809-1849.
          Assassinatos na rua Morgue e outras histórias/ Edgar
       Allan Poe; tradução de William Lagos. – Porto Alegre:
       L&PM, 2022
          160 p. ; 18 cm. – (Coleção L&PM POCKET; v. 269)

          ISBN 978-85-254-1131-0

          1.Ficção norte-americana-contos policiais. I.Título. II.Série

                              CDD 813.872
                              CDU 820(73)-312.4

Catalogação elaborada por Izabel A. Merlo, CRB 10/329.

© da tradução, L&PM Editores, 2002

Todos os direitos desta edição reservados a L&PM Editores
Rua Comendador Coruja, 314, loja 9 – Floresta – 90.220-180
Porto Alegre – RS – Brasil / Fone: 51.3225.5777

PEDIDOS & DEPTO. COMERCIAL: vendas@lpm.com.br
FALE CONOSCO: info@lpm.com.br
www.lpm.com.br

Impresso no Brasil
Verão de 2022

Índice

O demônio da perversidade / 7

Hop-Frog ou Os oito orangotangos acorrentados / 18

Os fatos que envolveram o caso de Mr. Valdemar / 35

O gato preto / 51

Nunca aposte sua cabeça com o Diabo / 69

Assassinatos na rua Morgue / 87

Cronologia / 149

O demônio da perversidade

Ao considerarem as faculdades e impulsos dos motores primordiais da alma humana, os frenologistas não conseguiram estabelecer a função de uma tendência, uma propensão que, embora obviamente existindo como um sentimento radical, primitivo e irredutível, foi igualmente ignorada por todos os moralistas que os precederam. Na pura arrogância da razão, todos nós a desdenhamos. Permitimos que sua existência escapasse ao exame de nossos sentidos unicamente por falta de crença, por não termos fé – qualquer que fosse essa fé, seja na Revelação divina, seja na milenar Cabala. A ideia dela nunca nos ocorreu, simplesmente porque parecia supérflua. Não encontrávamos *necessidade* para tal impulso, para tal inclinação. Simplesmente não podíamos perceber como era necessária. Não podíamos entender, quer dizer, não poderíamos ter entendido, se esta noção das causas primeiras não se tivesse introduzido; não poderíamos ter entendido de que forma ela podia ser levada a fortalecer os objetivos da humanidade, quer temporais, quer eternos. Não pode ser negado que a frenologia e em grande parte toda a metafísica foram concebidas *a priori*. Foram os homens intelectuais ou lógicos e não os homens observadores e capazes de uma verdadeira compreensão que imaginaram desígnios, que ordenaram a Deus que tivesse propósitos. Tendo assim decifrado para sua própria satisfação as intenções de Jeová, construíram seus inumeráveis sistemas psicológicos a partir destas intenções. Na questão da frenologia, por exemplo, primeiro determinamos, o que é bastante natural, que era a vontade de Deus que o homem devesse comer. Deste modo atribuímos ao homem um órgão cerebral responsável pela alimentação e passamos a dizer que este órgão é o flagelo com que a Divindade obriga o homem a comer, quer queira, quer não. Em segundo lugar, determinamos que era a Vontade Divina que o homem deveria propagar sua espécie, e a seguir descobrimos um órgão cerebral responsável pela capacidade de amar. E daí partimos para os órgãos da combatividade, do idealismo, da causalidade, da criatividade – em suma, para cada órgão que possa representar uma propensão, um sentimento moral ou uma faculdade inteiramente intelectual. E nesses arranjos dos *princípios* da ação humana, os seguidores de Spurzheim,[1] quer estivessem certos, quer errados em parte ou no todo, pouco mais fizeram que seguir os passos de seus predecessores, deduzindo tudo e tudo estabelecendo a partir do destino preconcebido do homem e dos objetivos de seu Criador.

Teria sido mais inteligente, teria sido mais seguro classificar (se é que precisamos de uma classifica-

---

1. Johann Kaspar Spurzheim, 1776-1832, médico alemão e um dos pioneiros da frenologia. (N.T.)

ção) sobre o alicerce daquilo que o homem realizou usual ou ocasionalmente, aquilo que preferencialmente fazia, e não sobre a base de nossas considerações sobre o que Deus pretendia que ele fizesse. Se não podemos compreender a Divindade através de Suas obras visíveis, como poderemos entender Seus pensamentos inconcebíveis que deram origem à realização de Suas obras? Se não podemos entendê-Lo em suas criaturas objetivas, como poderemos esperar uma compreensão de Suas substantivas disposições de ânimo que teriam levado às fases de Sua criação?

A indução, *a posteriori*, teria levado os frenólogos a admitir uma coisa paradoxal como princípio inato e primitivo das ações humanas, algo que denominaremos *perversidade*, na falta de um termo melhor. No sentido que pretendo, é de fato um móvel sem motivo, um motivo não *motivirt*.[2] Através de seus estímulos, agimos sem um objetivo compreensível; ou, se quisermos entendê-lo como uma contradição em termos, podemos modificar a proposição para dizer que, através de seu estímulo, agimos pela razão de que *não deveríamos agir*. Em teoria, nenhuma razão poderia ser mais irracional, mas, de fato, nenhuma existe que seja mais forte. Em certas mentes, sob determinadas condições, torna-se completamente irresistível. Assim como tenho certeza de que respiro, sei que a consciência do certo ou do errado de uma ação é frequentemente a única *força* incontestável que nos impele para sua

---

2. Não motivado. Em alemão no texto, mais exatamente *motiviert*, particípio passado do verbo *motivieren*. (N.T.)

realização; e nos impele isoladamente, sem que nada mais o faça. E esta tendência insuperável para praticar o mal por amor ao mal não admite análise nem resolução em elementos ulteriores. É um impulso radical e primitivo – um impulso elementar. Poderá ser objetado, sei muito bem disso, que quando persistimos em ações porque sentimos que *não devemos* permanecer nelas, nossa conduta é apenas uma modificação daquilo que ordinariamente provém da *combatividade* proposta pela frenologia. Mas um rápido olhar demonstrará a falácia desta ideia. A combatividade frenológica tem, por essência, a necessidade de autodefesa. É nossa salvaguarda contra danos físicos ou morais. Seu princípio busca o nosso bem-estar; e assim o desejo de permanecermos sadios é excitado simultaneamente com seu desenvolvimento. Segue-se então, que o desejo de estar bem deve ser excitado simultaneamente com algum princípio que seja tão somente uma modificação da combatividade, porém, no caso dessa coisa que denominei *perversidade*, o desejo por nosso próprio bem-estar não apenas não é despertado, como surge um sentimento que é seu forte antagonista.

Um apelo ao próprio coração é, afinal, a melhor resposta para o sofisma que percebemos. Ninguém que confiantemente consulta e inteiramente questiona sua própria alma estará disposto a negar o radicalismo completo da tendência em questão. Essa tendência é tão incompreensível quanto característica do ser humano. Não existe homem algum que, em algum período de sua vida, não tenha sido atormentado, por exemplo, pelo sincero desejo de atormentar um ouvinte por meio de circunlóquios. O orador sabe que está desagradando o ouvinte; a sua verdadeira intenção é agradar; em geral, seu estilo é breve, preciso e claro; a linguagem mais lacônica e luminosa está lutando para ser proferida por sua língua; é somente com dificuldade que consegue impedir que ela se manifeste; de fato, teme e lamenta a cólera daquele com quem fala; todavia, é atingido pelo pensamento de que, através de certas manipulações e parênteses, esta raiva pode ser despertada. Esse único pensamento é quanto basta. O impulso transforma-se em desejo, o desejo domina a vontade, esta assume o caráter de um anseio incontrolável e o anseio (para profundo remorso e mesmo vergonha daquele que está falando, apesar de todas as possíveis consequências) é imediatamente satisfeito.

Temos uma tarefa à nossa frente que deve ser rapidamente realizada. Sabemos que será muito prejudicial postergá-la. A crise mais importante de nossa vida nos convoca com sons de trombeta para uma ação imediata e enérgica. Nós nos inflamamos e consumimos pela urgência de iniciar a obra cujo resultado glorioso é antecipado e alimenta todas as expectativas de nossa alma. Deve ser começada, deve ser iniciada hoje mesmo; e todavia, adiamos para amanhã – e por quê? Não há resposta, exceto que sentimos aquela *perversidade*, usando a palavra sem compreensão do princípio que está por trás dela. O amanhã chega e com ele uma ansiedade ainda mais impaciente para cumprirmos o nosso dever, mas o próprio aumento de ansiedade é acompanhado por um desejo sem nome, uma volição que positivamente nos enche de medo, porque é incompreensível, de adiarmos ainda mais o que deve ser feito. Quanto mais passa o tempo, mais forte fica esse impulso. Finalmente, se aproxima a última hora em que poderemos realizar a ação. Trememos com a violência do conflito que está sendo travado dentro de nós, o combate entre o definido e indefinido, a batalha da substância com a sombra. Porém, se a luta chegou a este ponto, lutamos em vão, porque a sombra triunfará. O relógio bate a hora final e é o toque de finados por nosso bem-estar. Ao mesmo tempo, como o cantar do galo triunfante, soa a voz do fantasma que por tanto tempo nos assombrou. Então ele foge, o sentimento desaparece totalmente e estamos livres. A velha energia retorna a nossos membros. *Agora*, podemos trabalhar. Ai de nós, *é tarde demais!*

Paramos à beira de um precipício. Nossa visão se projeta para o abismo, somos tomados por um assomo de náusea e vertigem. Nosso primeiro impulso é afastar-nos do perigo. Sem a menor explicação, permanecemos ali. Lentamente, nosso enjôo, nossa tontura, nosso horror se mesclam a uma nuvem de sentimentos indizíveis. Gradativamente, ainda mais imperceptível, esta nuvem toma forma, como o vapor que surgiu da garrafa de Aladim e formou o gênio nas Mil e Uma Noites. Porém desta *nossa* nuvem à beira do despenhadeiro, torna-se progressivamente palpável uma forma muito mais terrível que a do gênio, muito mais horrenda que a de qualquer demônio lendário; e no entanto, é somente um pensamento, por mais amedrontador que seja, que nos gela até a medula dos ossos com a ferocidade inerente à delícia de seu pavor. É meramente a ideia de qual seria a nossa sensação durante o mergulho precipitado de uma queda de tal altura. E esta queda – esta aniquilação rápida – pela própria razão de que invoca a mais macabra e repugnante dentre todas as imagens tétricas e repelentes da morte e sofrimento que já se apresentaram à nossa imaginação – por esta mesma causa imaginamos saltar agora e o desejamos vividamente. E uma vez que nossa razão violentamente nos impede que cheguemos à borda, *justamente por isso* nos aproximamos mais impetuosamente. Não existe paixão na natureza que seja tão demoniacamente impaciente como a daquele que hesita à margem de um precipício, meditando sobre se há de saltar ou não. Deter-se, ainda que por um momento, na contemplação desse *pensamento*, é estar inevitavelmente perdido; porque a reflexão nos ordena afastar-nos sem demora e *portanto*, exatamente por isso, é que *não podemos*. Se não houver um braço amigo que nos ampare, ou se não fizermos um esforço súbito para nos afastarmos do abismo, saltaremos e seremos destruídos.

Por mais que examinemos estas e outras ações semelhantes, verificaremos que resultam unicamente do espírito da *Perversidade*. Nós perpetramos esses erros terríveis meramente porque sentimos que *não devemos*. Além disso, por detrás disso não há qualquer princípio inteligível. E poderíamos, sem dúvida, considerar que esta inclinação pervertida era uma instigação direta do Satanás, se não soubéssemos que, ocasionalmente, este impulso opera em apoio do bem.

Descrevi tudo isso para que de certo modo pudesse responder à sua questão, para que pudesse explicar-lhe por que estou aqui, para que pudesse transmitir-lhe alguma coisa que tivesse, pelo menos, um leve aspecto de uma causa para que estivesse agora usando estes grilhões e que justificasse o fato de que habito esta cela destinada aos condenados. Se não tivesse sido tão prolixo, talvez você me tivesse entendido completamente errado; ou, como a ralé, poderia achar que sou louco. Da maneira como descrevi o acontecido, você facilmente perceberá que sou apenas uma das vítimas incontáveis do Demônio da Perversidade.

É impossível que qualquer outra proeza pudesse ter sido realizada através de uma deliberação mais completa. Ponderei por semanas, durante meses, sobre a maneira de realizar este assassinato. Rejeitei mil esquemas porque sua realização envolvia a mera *possibilidade* de detecção. Finalmente, ao ler um volume intitulado *Memórias francesas*, encontrei o relato de uma doença quase fatal que acometeu uma certa Madame Pilau devido a uma vela acidentalmente envenenada. Imediatamente a ideia estimulou-me a imaginação. Sabia que minha vítima tinha o hábito de ler na cama. Sabia, também, que seu apartamento era estreito e pouco ventilado.

Mas não preciso incomodá-lo com todos esses detalhes impertinentes. Não preciso descrever as manobras fáceis com que logrei substituir, no candelabro de seu quarto de dormir, uma vela de cera comum que ali se achava, por outra de minha própria fabricação. Na manhã seguinte, ele foi achado morto em seu leito e o veredito do legista foi o de "Morte pela visita de Deus", ou seja, morte natural.

Tendo assim herdado suas propriedades, tudo correu bem para mim durante anos. A ideia de ser descoberto não entrou em meu cérebro nem por um momento. Eu mesmo tinha destruído cuidadosamente os restos da vela fatal. Não tinha deixado a sombra de uma pista através da qual pudesse ser possível condenar-me, ou até mesmo suspeitar de mim por esse crime. É inconcebível a riqueza do sentimento de satisfação que surgia em meu peito a cada vez que eu refletia sobre minha absoluta segurança. Por um período de tempo muito longo, acostumei-me a gozar deste sentimento. Ele me trazia uma delícia muito maior que todas as vantagens materiais que havia recebido através de meu pecado. Mas, finalmente, chegou uma época na qual a sensação agradável foi se transformando, através de gradações quase imperceptíveis, em um pensamento persecutório e obsedante. Perseguia-me porque me assombrava. Não conseguia libertar-me dele por um só instante. Sei que é uma coisa assaz comum sermos assim aborrecidos pelo soar constante em nossos ouvidos, ou antes em nossa lembrança, do trautear de uma canção ordinária ou mesmo por alguns trechos inexpressivos recordados de uma ópera. E o fato é que não somos menos atormentados se a música for boa ou a melodia operática do mais alto nível. Desta forma, no final do processo, eu me apanhava perpetuamente ponderando sobre minha segurança e repetindo em um resmungo baixo e quase inaudível a frase monótona: "Estou em segurança".

Um dia, enquanto passeava descuidadamente pelas ruas, consegui interromper-me justamente a tempo de não proferir estas sílabas habituais em um tom bem mais alto que um sussurro. Em um acesso de audácia petulante, remodelei a frase em minha mente: "Estou em segurança e vou permanecer a salvo se não cometer a tolice de confessar meu crime abertamente!".

Tão logo proferi estas palavras, ainda que fosse somente dentro de meu próprio cérebro, senti um frio gelado penetrar em meu coração. Já havia experimentado anteriormente estes acessos de perversidade, cuja natureza me dei ao trabalho de explicar bem, e recordei-me que em nenhuma ocasião tinha sido capaz de resistir-lhe aos ataques. E agora minha própria autossugestão, de um caráter aparentemente tão casual, de que existia uma possibilidade de que eu fosse estúpido o bastante para confessar o assassinato que havia cometido, confrontou-me como se fosse o próprio espectro daquele que havia matado e ficou a acenar-me para que saltasse em direção à morte.

A princípio, exerci grande esforço para esquecer este pesadelo que me dominava a alma. Caminhei vigorosamente, mais depressa, ainda mais rápido, até que no fim estava correndo. Sentia um desejo enlouquecedor de soltar uivos. Cada onda de pensamento que se sucedia me invadia de novo terror, porque – ai de mim! – eu sabia muito bem que, em minha situação, *pensar em uma confissão* era o mesmo que perder-me. Corri ainda mais velozmente. Saltei doidamente pelas calçadas apinhadas. Finalmente, algumas pessoas se alarmaram e começaram a me perseguir. Senti *então* que meu destino estava consumado. Se pudesse arrancar a língua, era isso que teria feito. Mas uma voz grosseira soou em meus ouvidos e mãos ainda mais brutais agarraram-me pelos ombros. Voltei-me, arquejando para respirar. Por um momento, experimentei todas as agonias da sufocação; fiquei cego, surdo e tomado de vertigem; e então, algum demoniozinho invisível, acho eu, bateu-me nas costas com a larga palma da mão. O segredo que aprisionara por tão longo tempo explodiu para fora de minha alma com a força de um tufão.

Dizem-me que falei com pronúncia clara e distinta, mas com uma ênfase marcada e uma pressa apaixonada, como se tivesse medo de ser interrompido antes de concluir as sentenças breves mas cheias de significado que me condenaram ao carrasco e me levarão para o inferno.

Depois de haver relatado tudo quanto era necessário para uma condenação judicial completa, desmaiei e tombei na calçada.

Mas por que deverei dizer ainda alguma coisa? Hoje estou usando estas correntes e estou *aqui!* Amanhã não terei mais grilhões – *mas onde estarei*?

Hop-Frog
ou
Os oito orangotangos acorrentados

Nunca conheci ninguém que gostasse tanto de uma piada quanto o rei. Parecia viver somente para brincadeiras. Contar uma boa e divertida anedota, isto é, contá-la da maneira certa que salientasse o imprevisto do desfecho, era a melhor maneira de conquistar-lhe o favor. Deste modo veio a ocorrer que todos os seus sete ministros se destacavam pela maneira como contavam uma história engraçada ou como planejavam troças que o divertissem. Todos eles eram fisicamente parecidos com o rei, homens grandes, corpulentos e gordos, do mesmo modo que inimitáveis brincalhões. Não sei se as pessoas engordam porque fazem gracejos, ou se existe alguma coisa na própria gordura que predispõe a pessoa à jovialidade; mas é certo que um contador de anedotas magro é uma *rara avis in terris*.[3]

No que se refere ao refinamento, ou como ele os denominava, os "espíritos" da comédia, o rei não demonstrava grande interesse. Ele tinha admiração especial pela *amplitude* de uma pilhéria; e muitas

---
3. Um pássaro difícil de encontrar na Terra. Em latim no original. (N. T.)

vezes era capaz de suportar a *extensão* de uma história pelo prazer de seu alcance. As sutilezas da ironia logo o cansavam. Teria preferido o *Gargantuá* de Rabelais ao *Zadig* de Voltaire[4] e, tudo considerado, as brincadeiras pesadas agradavam mais a seu gosto que os motejos meramente verbais.

Na época em que transcorre minha narrativa, ainda não tinha saído de moda completamente ter humoristas profissionais nas cortes e palácios. Diversos dos grandes poderes do continente europeu mantinham os seus "bobos", que usavam roupas recortadas de tecidos multicoloridos, capuzes e guizos, e de quem se esperava que estivessem sempre a postos – ou até mesmo interferissem nos assuntos sérios – com críticas contundentes, preparadas de antemão ou criadas na inspiração do momento, em troca das migalhas que caíam da mesa real.

Nosso rei, naturalmente, tinha o seu bobo. Na verdade, *exigia* dele que agisse da maneira mais louca a fim de contrabalançar o sarcasmo pesado dos sete homens sábios que eram seus ministros – sem contar a própria sabedoria.

Seu bobo, ou humorista profissional, todavia, não era *somente* um tolo brincalhão. Seu valor era

---

4. François Rabelais, 1494-1553, escritor, médico e anatomista francês. *A vida inestimável do grande Gargantuá, pai de Pantagruel* (1532, publicado em 1534) é o primeiro de uma série de romances satíricos que incorpora lendas populares para zombar um tanto grotescamente dos doutores da Sorbonne e dos conquistadores. Voltaire, poeta, dramaturgo, filósofo e satirista francês. "Zadig" (1747) é o primeiro dos "Contos Fantásticos", narrativa viva, espirituosa e cômica. "Zadig ou O Destino" procura demonstrar que a Providência conduz os homens por caminhos cujo segredo desconhecem. (N.T.)

triplicado aos olhos do rei pelo duplo fato de que, além de anão, também era aleijado. Nesses dias, anões eram tão comuns nas cortes como os bobos, e muitos monarcas poderiam achar difícil passar o tempo (porque os dias são muito mais longos nos castelos que em outros lugares) sem ter um bobo que lhes provocasse o riso e um anão às custas do qual pudessem rir. Porém, como já observei, os gracejadores, noventa e nove vezes em cem, são gordos, sadios e pesadões, de modo que era uma inestimável fonte de orgulho para o rei possuir um tesouro triplicado em Hop-Frog[5], que era o nome que haviam dado ao bobo.

Acredito que Hop-Frog *não* fosse o nome que os padrinhos haviam dado ao anão na pia batismal. Mas foi o nome que um consenso geral dos sete ministros lhe atribuiu, devido à sua incapacidade de caminhar como os outros homens. De fato, Hop-Frog só conseguia movimentar-se através de uma espécie de passo interrompido – um misto de pulo e contorção – um movimento que provocava diversão ilimitada e dava um certo consolo ao rei, porque, (apesar de uma imensa pança protuberante e um inchaço de nascença que tinha na cabeça) a corte inteira proclamava que seu soberano era um homem muito bonito.

Mas embora Hop-Frog, devido à deformação de suas pernas, só conseguisse mover-se com muita dor e dificuldade ao longo de uma estrada ou pelo assoalho, o prodigioso poder muscular que a Natu-

---

5. Literalmente, *Rã Saltadora*. (N.T.)

reza havia conferido a seus braços, como uma espécie de compensação pela deficiência nos membros inferiores, permitia-lhe executar muitas proezas de maravilhosa destreza, no que se refere a árvores, cordas ou qualquer outra coisa em que pudesse usar os braços para trepar. Em tais exercícios ele realmente lembrava muito mais um esquilo ou um macaquinho do que um sapo.

Não sou capaz de informar, com precisão, de que país Hop-Frog se originara. Era de alguma região bárbara, entretanto, um lugar de que ninguém ouvira falar, a uma vasta distância da corte de nosso rei. Hop-Frog e uma mocinha, pouco menos anã do que ele (mas, como todos os nanicos, perfeitamente bem-proporcionada e, além disso, uma excelente bailarina) tinham sido arrancados de seus respectivos lares em províncias limítrofes e mandados como presente para o rei por um de seus generais sempre vitoriosos.

Sob estas circunstâncias, não é de admirar que uma estreita intimidade se estabelecesse entre os dois pequenos cativos. Sem dúvida, logo se tornaram os amigos mais sinceros. Hop-Frog, embora causasse muito divertimento, tanto por seu aspecto como pelos chistes que proferia, não era absolutamente popular e assim não estava em condições de prestar muitos serviços a Trippetta; porém *ela*, devido à sua graça e imensa beleza (mesmo sendo uma anãzinha), era admirada e acariciada por todos; assim, adquirira muita influência: e nunca deixava de usá-la, sempre que lhe era possível, em benefício de Hop-Frog.

Em uma importante solenidade daquela nação – não recordo qual seja, nem importa –, o rei determinou que fosse organizado um baile de máscaras; e sempre que uma mascarada, ou coisa desse gênero, era organizada na corte, imediatamente lembravam-se de convocar em seu benefício os talentos tanto de Hop-Frog como de Trippetta. Hop-Frog, em particular, era muito inventivo em projetar desfiles e atividades cênicas, sugerir novos caracteres e desenhar fantasias; e aparentemente nenhum baile de máscaras poderia ser preparado sem a sua assistência.

A noite designada para a festividade chegou. Um grande salão tinha sido decorado da maneira mais suntuosa possível, segundo o gosto excelente de Trippetta, com todo tipo de atavio que pudesse adicionar brilho a uma mascarada. A corte inteira encontrava-se presa de ansiedade febril. Quanto às indumentárias e às caracterizações, pode-se supor que todos tinham tomado suas decisões particulares no que se refere a esses pontos. De fato, muitos tinham resolvido o que iam usar (ou que papéis iam assumir) uma semana ou até um mês antes da data; realmente, não se podia encontrar nenhum traço de indecisão em parte alguma – exceto no caso do rei e de seus sete ministros. Por que *eles* hesitavam não saberei dizer, a não ser que estivessem planejando alguma espécie de brincadeira. Provavelmente achavam difícil decidir-se porque eram muito gordos. Seja como for, o tempo corria, a hora marcada se aproximava, nada fora resolvido; e como último recurso, mandaram chamar Trippetta e Hop-Frog.

Quando os dois amiguinhos obedeceram à convocação do rei, encontraram-no sentado a beber grandes quantidades de vinho, juntamente com seus sete conselheiros. Entretanto, o monarca parecia estar de muito mau humor. Ele sabia que Hop-Frog não gostava de tomar vinho, porque este excitava o pobre coxo a ponto de ficar doido; e a loucura não é um sentimento confortável. Mas o rei gostava muito de brincadeiras pesadas e seu maior prazer era obrigar Hop-Frog a embriagar-se porque (como dizia o rei) "assim ele ficava mais alegre".

– Aproxime-se, Hop-Frog – disse ele, no momento em que o anão e sua amiga entraram na sala. – Beba este canecão à saúde de seus amigos ausentes – aqui Hop-Frog soltou um profundo suspiro – e depois partilhe conosco os benefícios de sua imaginação. Queremos personagens, *personagens*, homem. Alguma coisa nova e fora do comum. Estamos cansados das mesmas fantasias e caracterizações de sempre. Vamos, beba! O vinho vai despertar sua imaginação.

Hop-Frog tentou, como de costume, inventar um chiste em resposta às deixas do rei; mas desta vez o esforço era demais. Por uma dessas coincidências infelizes, esse era o dia do aniversário do pobre anão, e a ordem de beber à saúde de seus "amigos ausentes" trouxe lágrimas a seus olhos. Muitos pingos grossos e amargos caíram dentro do grande copo enquanto ele o recebia, humildemente, da mão de seu tirano.

– Ah, ah, ah, ah! – a gargalhada do rei era quase um rugido, enquanto o anão, relutantemente, esvaziava a vasilha. – Vejam o que pode fazer um copo de bom vinho! Ora, seus olhos já estão brilhando!

Pobre camarada! Seus olhos *lampejavam* mais do que brilhavam, porque o efeito do vinho sobre seu cérebro excitável não era tão poderoso quanto instantâneo. Ele colocou a taça nervosamente sobre a mesa e olhou ao redor, contemplando a companhia reunida com um olhar quase insano. Todos estavam extremamente divertidos com o sucesso da *pilhéria* do rei.

– Agora, vamos passar aos negócios – disse o primeiro-ministro, que era um homem extremamente rechonchudo.

– Sim – disse o rei. – Vamos, Hop-Frog, dê-nos sua valiosa assistência. Personagens, meu bom camarada, todos nós precisamos de personagens – todos – ah, ah, ah! E como o rei julgara ter feito um excelente gracejo, seu riso foi repetido em coro pelos sete.

Hop-Frog também fez um grande esforço e finalmente riu, embora distraída e debilmente e com os olhos meio vazios.

– Vamos, vamos! – insistiu o rei, com impaciência. – Então, não tem nada a sugerir?

– Estou fazendo um esforço para pensar em alguma coisa realmente *nova* – replicou o anão, com um ar que parecia abstraído, embora, na realidade, estivesse completamente tonto pelo efeito do vinho e só pudesse pensar na energia que a gargalhada lhe custara.

– Um esforço! – gritou o tirano, ferozmente. –

O que quer dizer com *isso*? Ah, já percebi. Você está aborrecido e quer um pouco mais de vinho. Vamos, beba isto! – e encheu outro copo fundo, oferecendo-o ao aleijado, que ficou parado, olhando para ele e esforçando-se para respirar. – Beba, já disse! – gritou o monstro – ou com mil demônios...

O anão hesitou. O rosto do rei estava ficando roxo de raiva. Os cortesãos sorriam uns para os outros afetadamente. Trippetta, pálida como um cadáver, avançou até a cadeira em que o monarca estava sentado e, caindo de joelhos diante dele, suplicou-lhe que tivesse pena de seu amigo.

O tirano a fitou por alguns momentos, evidentemente maravilhado por sua audácia. Parecia não fazer a menor ideia de como proceder ou do que dizer – qual a maneira mais digna de expressar sua extrema indignação. Enfim, sem proferir uma única sílaba, empurrou-a violentamente e jogou o conteúdo do copo cheio em seu rosto.

A pobre garota levantou-se o melhor que pôde e, sem ousar sequer dar um suspiro, reassumiu sua posição frente à mesa.

Houve um silêncio mortal, que durou por um meio minuto, durante o qual a queda de uma folha ou o flutuar de uma pena poderiam ser escutados. Foi interrompido por um som *rascante*, baixo, mas áspero e prolongado, que parecia se originar ao mesmo tempo de cada canto da sala.

– Por quê... por quê... *para que* você está fazendo esse barulho? – indagou o rei peremptoriamente, enquanto voltava sua fúria para o anão.

Este último parecia ter se recuperado, pelo menos em grande parte, da embriaguez; e, olhando fixa mas tranquilamente para o rosto do tirano, respondeu apenas:

– Eu? Eu?... Mas como poderia ter sido eu?

– Parece que o som veio de fora – interveio um dos cortesãos. – Imagino que tenha sido o papagaio que está do lado de fora da janela, esfregando o bico contra as grades da gaiola.

– É verdade – concordou o monarca, como se tivesse ficado muito aliviado pela sugestão. – Mas por minha honra de cavaleiro, poderia ter jurado que se tratava desse vagabundo rangendo os dentes.

A essas palavras, o anão riu – o rei era um gracejador contumaz e não poderia objetar ao riso de ninguém – e mostrou um conjunto de dentes grandes, poderosos e muito repulsivos. Além disso, declarou estar disposto a engolir tanto vinho quanto fosse ordenado. O monarca apaziguou-se; e depois de esvaziar outro copázio, sem nenhum efeito perceptível, Hop-Frog entrou em seguida, com muita criatividade, no espírito da mascarada.

– Não posso explicar qual foi a associação de ideias – observou muito tranquilamente, portando-se como se nunca tivesse provado vinho em sua vida –, mas *logo depois* que Vossa Majestade bateu na garota e jogou o vinho em seu rosto, *imediatamente depois* que Vossa Majestade fez isso, enquanto o papagaio estava fazendo aquele ruído estranho do lado de fora da janela, surgiu em minha mente a ideia de uma diversão extraordinária, uma das folias de minha própria terra, frequentemente encenada em nossos bailes de máscaras; mas tenho certeza de que, por aqui, será uma absoluta novidade. Infelizmente, porém, requer um elenco de oito pessoas, e...

— Pois *aqui estamos*! – rugiu o monarca, rindo às gargalhadas por sua esperteza de haver descoberto a coincidência. – Somos exatamente oito – eu e meus sete ministros. Vamos lá! Como é essa brincadeira?

— Nós costumamos chamá-la de – replicou o aleijado – Os oito orangotangos acorrentados. E realmente é muito divertida, se for bem-interpretada.

— Pois *nós mesmos* a encenaremos – observou o rei, endireitando-se no cadeirão e contemplando o interlocutor por sob pálpebras semicerradas.

— A beleza da brincadeira – continuou Hop-Frog – é que causa muito medo entre as mulheres.

— Excelente! – berraram em coro o monarca e seus ministros.

— Farei para vocês fantasias de orangotangos – prosseguiu o anão. – Essa parte podem deixar comigo. A semelhança será tão assombrosa que todos os mascarados pensarão que vocês são bestas verdadeiras – e, naturalmente, ficarão tão espantados como aterrorizados.

— Ah, mas isso é magnífico! – exclamou o rei. – Hop-Frog, ainda vou transformar você em um homem de verdade!

— As correntes se destinam a aumentar a confusão enquanto são arrastadas e os elos fazem um barulho terrível ao baterem uns nos outros. Vão pensar que vocês escaparam todos juntos dos guardas. Vossa Majestade não pode conceber o *efeito* produzido em um baile pela entrada de oito orangotangos acorrentados, especialmente porque a maior parte dos presentes vai achar que são verdadeiros. E vocês entrarão soltando gritos selvagens no meio daquela multidão de homens e mulheres fantasiados em indumentárias lindas e delicadas. O contraste será inimitável.

– Sem dúvida, sem dúvida, *deve ser* – disse o rei. E e o conselho ergueu-se apressadamente (porque já estava ficando tarde e o baile deveria começar dentro de poucas horas) a fim de pôr em execução o esquema de Hop-Frog.

A maneira como ele conseguiu disfarçar o grupo como orangotangos foi muito simples, mas perfeitamente eficaz para seu propósito. Os animais em questão, na época em que se passa esta história, tinham sido vistos muito raramente em qualquer parte do mundo civilizado, e, como as imitações feitas pelo anão eram suficientemente bestiais e mais que suficientemente assustadoras, sua semelhança com os animais parecia estar assegurada.

O rei e seus ministros foram primeiro vestidos com apertadas camisas e ceroulas de malha. Estas foram então recobertas de alcatrão. Neste estágio do processo, um membro do grupo sugeriu a colocação de penas, mas a ideia foi de imediato repelida pelo anão, que logo convenceu os oito, através de uma demonstração ocular, que o pelo de animais tão brutos como os orangotangos era muito melhor representado por *fibras de linho*. Uma camada espessa destes fios foi então colada sobre a camada de alcatrão. Foi então trazida uma longa corrente. Primeiro foi enrolada na ampla cintura do rei e então foi *retorcida firmemente de modo a formar uma espécie de nó*; a seguir, foi passada ao redor da cintura de outro membro do grupo, em que novamente foi enrolada e trancada com firmeza; depois cercou sucessivamente os corpos de todos os outros, travando-se da mesma maneira. Quando o agrilhoamento estava completo, cada um o mais longe possível dos outros, formaram um círculo; e, para fazer com que tudo parecesse natural, Hop-Frog passou o restante da corrente através do círculo, dois diâmetros completos, formando entre si um ângulo reto, conforme o sistema adotado, até os dias de hoje, por aqueles que capturam chimpanzés ou outros grandes símios em Bornéu.

O grande salão em que o baile deveria ser realizado era um aposento circular, com paredes muito altas, que recebia a luz do sol através de uma única janela imensa que fora aberta no teto. Durante a noite (e para esse período é que a imensa sala fora especialmente projetada) era iluminado principalmente por um grande candelabro que pendia de uma corrente do centro da claraboia e que podia ser erguido ou abaixado por meio de um sistema de contrapesos, como de costume. Todavia (para não ficar atravancando e impedindo a entrada da luz) o lustre podia ser passado para fora da cúpula, ocasião em que o mecanismo permitia que se encaixasse entre o forro e o telhado.

A decoração do aposento tinha sido deixada aos cuidados de Trippetta; porém, em determinados detalhes, ela tinha sido orientada pelo julgamento mais calmo de seu amigo anão. E foi por sugestão deste que, para esta ocasião, o lustre foi removido. Os pingos de cera dos inúmeros círios (que em uma época de tanto calor era impossível evitar) teriam prejudicado extremamente as ricas vestes dos convidados, os quais, devido ao esperado apinhamento do salão, não poderiam *todos* evitar o centro do salão, ou seja, muitos ficariam precisamente embaixo do lustre. Novos castiçais foram colocados em diversos nichos ao redor do salão de baile, fora do caminho, onde a cera escorreria sem prejudicar ninguém, e archotes de uma madeira especial, que emitia um suave odor, foram colocados na mão direita de cada uma das cariátides que se erguiam contra as paredes, em um total de cinquenta ou sessenta tochas.

Os oito orangotangos, seguindo o conselho de Hop-Frog, esperaram pacientemente pela meia-noite (ocasião em que a sala estava completamente cheia de mascarados) antes de penetrarem no recinto. Assim que o relógio soou a última badalada, todavia, eles correram para dentro, ou antes, rolaram, todos juntos; porque as correntes impediram-lhes a liberdade de movimentos e a maior parte do grupo tropeçou e caiu enquanto entravam.

O terror produzido entre os fantasiados foi prodigioso, o que encheu de alegria o coração do rei. Como tinha sido antecipado, a maior parte dos convidados acreditou que aquelas criaturas de aspecto feroz eram realmente feras de *alguma* espécie, mesmo que não as tivessem identificado precisamente como orangotangos. Muitas das mulheres desmaiaram de medo; e se o rei não tivesse tomado anteriormente a precaução de proibir qualquer arma no salão de baile, ele mesmo e seus amigos poderiam ter pago a brincadeira com seu próprio sangue. Da maneira como a coisa aconteceu, uma debandada geral dirigiu-se para as portas, mas o rei ordenara que todas fossem trancadas logo após sua passagem e, seguindo uma sugestão do anão, as chaves estavam *em seu poder*.

Quando o tumulto atingiu o auge e cada um dos presentes só procurava sua própria salvação (porque, de fato, havia muito perigo *real*, provocado pelo tropel da multidão excitada), a corrente da qual o lustre em geral pendia, que tinha sido enrolada por ocasião de sua remoção, começou a descer muito gradualmente, até que sua ponta, terminada por um gancho, ficou a um metro do assoalho.

Logo depois disto, o rei e seus amigos, tendo rodopiado pelo salão em todas as direções, encontraram-se finalmente no centro exato, o que os colocou em contato imediato com a corrente que descia do teto. Enquanto estavam assim posicionados, o anão, que corria junto a seus calcanhares, incitando-os a gritar e saltar bem alto para aumentar a comoção, segurou a corrente que os unia pela intersecção das duas porções que cruzavam o círculo diametralmente e em ângulos retos. Com a rapidez do pensamento, ele agarrou o gancho do qual habitualmente pendia o candelabro e o prendeu à corrente que envolvia o grupo de farsantes. No instante seguinte, movida por mãos invisíveis, a corrente do lustre foi erguida, de modo a puxar o gancho para além do alcance de quem estivesse no assoalho. Como consequência inevitável, os orangotangos foram arrastados juntos e ficaram amontoados face a face.

A essa altura, a maior parte dos mascarados se havia refeito do susto. Começando a encarar a proeza como uma pilhéria muito bem-planejada, desataram em gargalhadas estrondosas diante da situação em que se encontravam os macacos.

– Deixem que eu resolvo o problema! – gritou Hop-Frog, e sua voz aguda pôde ser ouvida facilmente acima de todo o clamor. – Deixem que eu resolvo o caso deles! Acho que conheço esses camaradas. Se puder olhá-los bem de perto, logo poderei dizer quem são!

E então, saltando sobre as cabeças dos convivas, chegou até a parede, tomou um archote da mão de uma das cariátides e retornou ao centro do salão. Pulando, com a agilidade de um símio, sobre a cabeça do rei, que usou como poleiro para subir um metro ou dois pela corrente, passou a tocha para cá e para lá como se estivesse examinando o grupo de orangotangos e gritou novamente:

– Agora vou descobrir quem eles são!

Deste modo, enquanto a assembleia inteira (incluindo os próprios macacos) se retorcia em um riso convulsivo, o brincalhão subitamente emitiu um assobio agudo e a corrente subiu violentamente uns dez metros, arrastando com ela os atemorizados orangotangos, que se debatiam, deixando-os assim suspensos no ar, a meia altura entre a claraboia e o chão. Hop-Frog, agarrado aos elos da corrente enquanto ela subia, e ainda mantendo sua posição relativa aos oito disfarçados, continuou a sacudir o archote para cá e para lá sobre suas cabeças (como se tudo tivesse sido planejado), fingindo que tentava descobrir quem eles eram.

A multidão inteira ficou tão espantada com esta súbita ascensão que um silêncio mortal prolongou-se por quase um minuto. Este foi quebrado pelo mesmo som rascante, baixo e áspero que tinha antes atraído a atenção do rei e seu conselho, quando aquele atirara o vinho na face de Trippetta. Só que desta vez, não havia dúvida *de onde* provinha o som. Vinha dos dentes semelhantes a presas do anão, que os rangia e rilhava furiosamente, espumando pela boca, enquanto olhava fixamente, com uma expressão de cólera maníaca, para os rostos erguidos do rei e de seus sete companheiros.

– Aha! – proferiu finalmente o bobo enfurecido. – Aha! Agora começo a perceber quem essas pessoas são, já estou vendo muito bem!

E, enquanto fingia examinar o rosto do rei mais de perto, encostou o archote no manto de fibras de linho que o envolvia, o qual instantaneamente explodiu em um lençol de vívidas chamas. Em menos de meio minuto, os oito orangotangos ardiam furiosamente, por entre os gritos apavorados da multidão que os contemplava lá de baixo, tomada de horror, sem poder prestar-lhes a menor assistência.

Finalmente as chamas, aumentando de repente sua violência, forçaram o bobo a subir mais alto pela corrente, para sair fora de seu alcance e, enquanto ele fazia esse movimento, a turba caiu de novo, ainda que por um breve instante, em profundo silêncio. O anão aproveitou a oportunidade e falou mais uma vez:

– Agora eu vejo *distintamente* que tipo de pessoas são estes mascarados. São um grande rei e seus sete conselheiros privados – um rei que não tem escrúpulos de bater em uma menina indefesa e seus sete conselheiros que o apoiaram nesse ultraje. Quanto a mim, sou simplesmente Hop-Frog, o bobo – e *este é meu último gracejo!*

Devido ao alto poder de combustão do linho e do alcatrão a que este aderia, o anão mal teve tempo de completar seu breve discurso antes que sua vingança se completasse. Os oito cadáveres balançavam de suas correntes, formando uma massa fétida, negra, horrenda e indistinguível. O aleijado arrojou sua tocha na direção deles, subiu facilmente até o forro e desapareceu através da claraboia aberta.

Mais tarde acreditou-se que Trippetta, posicionada no teto do salão, tinha sido a cúmplice de seu amigo em sua vingança incendiária; e que os dois conseguiram fugir para sua terra, porque nenhum deles foi visto de novo por pessoa alguma daquele reino.

Os fatos que envolveram o caso de Mr. Valdemar

Um artigo nosso, de mesmo título, foi publicado no último número da Revista Americana, *de Mr. Colton, dando origem a um certo grau de discussão – especialmente no que se refere à verdade ou falsidade de algumas assertivas que então fizemos. Não cabe a nós, naturalmente, escrever uma única palavra em defesa do que foi dito. Fomos solicitados a reimprimir este artigo, o que fazemos com prazer. Deixamos que o texto fale por si mesmo. Podemos observar, entretanto, que existe uma certa classe de pessoas que se comprazem na Dúvida, como se fosse uma profissão.* – Ed. B. J. (Broadway Journal).

É claro que não pretenderei considerar espantoso que o extraordinário caso de Mr. Valdemar tenha despertado tantas discussões. Teria sido um milagre que não tivesse – especialmente dentro das circunstâncias. Devido ao fato de que todas as partes interessadas desejassem evitar toda e qualquer publicidade, pelo menos por enquanto ou até que o assunto pudesse ser mais plenamente investigado e devido a nossos esforços para mantê-lo assim, um relato truncado e exagerado difundiu-se entre a sociedade e tornou-se a fonte de muitas falsas interpretações, dando origem, naturalmente, a muita descrença.

Tornou-se agora necessário expor todos os *fatos* – pelo menos até o ponto em que eu mesmo os compreendi. Resumidamente, são os seguintes:

Minha atenção, durante os últimos três anos, foi repetidamente atraída para o assunto do mesmerismo; cerca de nove meses atrás, ocorreu-me, muito subitamente que, na série de experiências realizadas até agora, houve uma omissão realmente notável e inexplicável – nenhuma pessoa tinha ainda sido hipnotizada *in articulo mortis*.[6] Primeiro, deveria ser determinado se, em tal condição, permanecia no paciente qualquer susceptibilidade à influência magnética; em segundo lugar, se fosse estabelecido que existia, se era prejudicada ou fortalecida por essa condição; em terceiro, até que ponto e por quanto tempo a atividade da Morte poderia ser interrompida pelo processo. Havia outros pontos a investigar, mas eram estes que mais me excitavam a curiosidade – o último, em especial, devido ao caráter imensamente importante de suas consequências.

Olhando ao redor de mim a fim de encontrar algum paciente por meio de quem pudesse testar estas possibilidades, fui levado a pensar em meu amigo, Mr. Ernest Valdemar, o bem conhecido compilador da *Bibliotheca Forensica* e autor (sob o *nom de plume*[7] de Issachar Marx) das versões polonesas de

---

6. *No momento da morte*. Em latim no original. (N.T.)
7. *Nom de plume* é a expressão francesa para pseudônimo literário. (N.T.)

Wallenstein e de *Gargantuá*. O sr. Valdemar, que tinha residido principalmente no bairro de Harlem, em Nova York, desde o ano de 1839, é (ou era) particularmente notável pela extrema magreza corporal, seus membros inferiores lembrando muito os de John Randolph[8]; e também pela brancura de sua barba, em violento contraste com seus cabelos pretos, que, em consequência, eram muitas vezes confundidos com uma peruca. Seu temperamento era marcadamente nervoso e o tornava um bom paciente para experiências mesméricas. Em duas ou três ocasiões, eu já o tinha feito dormir com pouca dificuldade, mas fiquei desapontado pela ausência de outros resultados que sua constituição peculiar me tinha naturalmente levado a antecipar. Porém sua vontade nunca esteve positiva nem inteiramente sob meu controle; e quanto à clarividência, não pude obter dele nada em que pudesse me basear. Sempre atribuí meu fracasso com relação a estes pontos ao mau estado de sua saúde. Durante alguns meses antes que nos conhecêssemos, seus médicos tinham declarado que sofria de tísica, de tuberculose. Era seu costume, de fato, conversar calmamente sobre a morte que se aproximava, não evitando nem lamentando este assunto.

Quando as ideias a que aludi me ocorreram pela primeira vez, foi a coisa mais natural que pensasse em Mr. Valdemar. Conhecia muito bem a calma filosofia do homem para esperar quaisquer escrúpulos *de sua parte*; tampouco ele tinha parentes nos Estados Unidos que pudessem interferir. Falei-lhe francamente sobre o assunto. Para minha surpresa,

---

8. John Randolph of Roanoke, 1773-1833, estadista americano. (N.T.)

seu interesse pareceu vividamente despertado. Disse que foi para minha surpresa, porque, embora ele tivesse sempre cedido sua pessoa livremente a minhas experiências, nunca antes demonstrara nenhum sinal de simpatia por minhas atividades. Sua doença era daquele caráter que admite um cálculo exato com respeito à época de seu desenlace através da morte; finalmente, foi estabelecido entre nós que ele mandaria me chamar cerca de vinte e quatro horas antes do período anunciado por seu médico para seu falecimento.

Já faz agora um pouco mais de sete meses desde que recebi o bilhete abaixo, escrito pela própria mão de Mr. Valdemar:

Meu caro P.———
É melhor que você venha agora mesmo. D.——— e F.———- concordaram que não posso durar além da meia-noite de amanhã. Acredito que tenham marcado a hora com bastante exatidão.

Valdemar

Recebi este bilhete meia hora depois que foi escrito e dentro de quinze minutos já me encontrava no quarto do moribundo. Havia dez dias que não o via e fiquei impressionado com a profunda alteração que o breve intervalo tinha lhe causado. Suas faces estavam cor de chumbo, os olhos estavam completamente sem brilho, e a magreza tornara-se tão extrema, que os ossos malares tinham perfurado a pele do rosto. Sua expectoração era excessiva. O pulso, quase imperceptível. Ele conservava, não obstante e de forma bastante notável, tanto os poderes mentais como um certo grau de força física. Falava distintamente, tomava alguns remédios paliativos sem ajuda e, quando entrei no quarto, estava ocupado em escrever algumas anotações em uma agenda. Encontrei-o sentado na cama, apoiado em travesseiros. Os doutores D.—— e F.—— estavam presentes.

Depois de apertar a mão de Valdemar, levei à parte estes cavalheiros e obtive deles um relatório minucioso sobre a condição do paciente. Havia já dezoito meses que o pulmão esquerdo estava em um estado semiossificado ou cartilaginoso; desse modo, naturalmente era inútil para todos os propósitos de conservação da vida. A parte superior do pulmão direito também estava parcial ou totalmente ossificada, enquanto a região inferior era apenas uma massa de tubérculos purulentos, quase encostados uns nos outros. Existiam diversas perfurações extensas; em um ponto, já havia adesão permanente às costelas. Esta aparência do pulmão direito surgira em uma data relativamente recente. A ossificação tinha ocorrido com uma rapidez fora do comum; somente um mês antes, não se detectara qualquer sinal dela; e a adesão apenas tinha sido observada há três dias. Independentemente da tísica, suspeitavam que o paciente apresentava um aneurisma na aorta; mas quanto a este ponto, os sintomas ósseos tornavam impossível um diagnóstico exato. Era opinião de ambos os médicos que Mr. Valdemar faleceria ao redor da meia-noite do dia seguinte (domingo). Naquele momento eram sete horas da noite de sábado.

Ao deixarem a cabeceira da cama do inválido para conversar comigo, os doutores D.—— e F.——

haviam se despedido dele. Não tinham a intenção de retornar; porém, a meu pedido, concordaram em dar uma olhada no paciente por volta das dez horas da noite seguinte.

Depois que eles foram embora, falei livremente com Mr. Valdemar sobre o assunto de seu próximo passamento e muito em particular sobre a experiência que nos propuséramos realizar. Ele ainda se manifestou inteiramente disposto a cooperar e até mesmo ansioso para que a tentativa fosse realizada, pressionando-me a começar de imediato. Um enfermeiro e uma enfermeira estavam presentes, mas não me senti inteiramente em liberdade para iniciar uma tarefa deste caráter sem a presença de testemunhas mais confiáveis do que estas pessoas poderiam demonstrar-se no caso de um súbito acidente. Desde modo, adiei as operações até cerca de oito horas na noite seguinte, quando a chegada de Mr. Theodore L.——, um estudante de medicina com quem mantinha um certo relacionamento, poupou-me novos embaraços. Minha intenção original era a de esperar pela chegada dos médicos, mas fui levado a prosseguir, primeiro pelos pedidos urgentes do sr. Valdemar; e em segundo lugar, pela minha convicção de que não tinha um momento a perder, porque ele estava evidentemente se aproximando do desfecho.

Mr. L.—— fez-me a gentileza de tomar anotações sobre tudo o que ocorresse; e é a partir de suas notas que os fatos que vou relatar agora foram, na sua maior parte, condensados ou transcritos *verbatim*.[9]

---

9. Palavra por palavra. Abreviatura da locução latina *verbatim ac litteratim* (letra por letra). (N.T.)

Faltavam uns cinco minutos para as oito quando, tomando a mão do paciente, pedi-lhe que declarasse, tão claro quanto lhe fosse possível, para o benefício de Mr. L.——, que ele, Mr. Valdemar, estava inteiramente disposto a permitir que eu realizasse a experiência de hipnotizá-lo nas condições em que se achava.

Ele replicou fracamente, mas em voz clara e audível:

– Sim, eu quero ser mesmerizado – acrescentando imediatamente após –, mas temo que você tenha demorado demais.

Ele ainda falava e eu já começara os passes que tinha percebido anteriormente serem os mais eficientes para colocá-lo em transe. Ele foi evidentemente influenciado pelo primeiro golpe lateral de minha mão contra sua testa; mas embora eu exercesse todos os meus poderes, nenhum outro efeito perceptível foi induzido até que, alguns minutos depois das dez horas, quando os doutores D.—— e F.—— chegaram, de acordo com o compromisso que haviam assumido, expliquei-lhes em poucas palavras o que eu pretendia; e como eles não opusessem nenhuma objeção, dizendo que o paciente estava mesmo nas agonias da morte, prossegui sem mais delongas – trocando, entretanto, os passes laterais por outros descendentes e dirigindo a vista inteiramente para o olho direito do moribundo.

A essa altura, seu pulso se achava imperceptível e tinha começado a estertorar, a intervalos de meio minuto.

Esta condição permaneceu quase inalterada

durante um quarto de hora. No final deste período, entretanto, um suspiro natural mas muito profundo escapou-lhe do peito e o estertor cessou – quer dizer, o ruído não era mais aparente em sua respiração, mas os intervalos entre as inspirações continuavam os mesmos. As extremidades do paciente estavam frias como gelo.

Cinco minutos depois das onze horas, percebi sinais inequívocos de influência mesmérica. O movimento vítreo dos olhos foi trocado por aquela expressão de inquietante exame *interior*, que só é vista em casos de sonambulismo e que é inteiramente impossível confundir. Por meio de alguns rápidos passes laterais, eu fiz as pálpebras tremerem, como se o sono se aproximasse e, com mais alguns, fiz com que os olhos se fechassem completamente. Entretanto, não me dei por satisfeito com isso, mas continuei minhas manipulações vigorosamente, com o mais completo esforço da vontade, até que tivesse endurecido completamente os braços e pernas do adormecido, depois de colocá-los em uma posição que a mim parecia confortável. As pernas estavam completamente esticadas e os braços caíam naturalmente sobre o leito a uma distância moderada dos flancos. A cabeça estava muito levemente elevada sobre os travesseiros.

Quando terminei estas preparações, a meia-noite já havia chegado e solicitei aos cavalheiros presentes que examinassem as condições de Mr. Valdemar. Depois de algumas experiências, admitiram que se encontrava em um perfeito estado de transe hipnótico, bem mais profundo que o comum. A curiosidade de ambos os médicos tinha sido grandemente despertada. O dr. D.—— resolveu imediatamente permanecer com o paciente durante toda a noite, enquanto o dr. F.—— se despediu com a promessa de que regressaria ao romper da aurora. Mr. L.—— e os enfermeiros permaneceram.

Não perturbamos Mr. Valdemar em absoluto até mais ou menos as três da manhã, quando me aproximei dele e o encontrei precisamente nas mesmas condições em que se achava quando saíra o dr. F.——. Isto significa que ele jazia na mesma posição; o pulso se achava imperceptível, a respiração muito fraca (quase não dava para notar, exceto quando se colocava um pequeno espelho diante de seus lábios); os olhos estavam fechados com naturalidade, enquanto os membros permaneciam tão frios e tão rígidos como mármore. Mesmo assim, a aparência geral certamente não era a de um morto.

Quando me aproximei de Mr. Valdemar, fiz uma tentativa meio desanimada para influenciar seu braço direito a acompanhar o meu, enquanto este passava gentilmente, para cá e para lá sobre seu corpo. Ao fazer este tipo de experiência com o paciente, nunca obtivera pleno sucesso em ocasiões anteriores; certamente não tinha muita esperança de conseguir resultados agora, mas, para meu assombro, seu braço prontamente, embora com movimentos fracos e débeis, moveu-se em todas as direções assinaladas pelo meu. Resolvi-me a tentar algumas palavras como início de conversa:

– Mr. Valdemar – disse eu –, o senhor está dormindo?

Ele não respondeu, mas percebi que seus lábios tremiam e decidi repetir a questão várias vezes. Na terceira repetição, seu arcabouço inteiro foi agitado por um tremor muito leve, as pálpebras se ergueram o suficiente para mostrar uma parte do branco do olho, os lábios moveram-se preguiçosamente e um murmúrio quase inaudível passou por eles e proferiu as palavras:

– Sim – dormindo agora. Não me acorde! – deixe-me morrer assim!

Toquei seus braços e pernas e senti que estavam tão rígidos como antes. Mas o braço direito, como antes, obedecia às instruções de minha mão. Questionei o sonâmbulo outra vez:

– Ainda sente dores no peito, Mr. Valdemar?

Desta vez a resposta foi imediata, se bem que ainda menos audível do que antes.

– Nenhuma dor – estou morrendo.

Não achei aconselhável perturbá-lo mais nesse momento e nada mais foi feito ou dito até a chegada do dr. F.——, que chegou um pouco antes do nascer do sol e expressou um completo espanto por encontrar o paciente ainda vivo. Depois de sentir-lhe o pulso e aplicar um espelho a seus lábios, solicitou-me que falasse novamente com o adormecido. Aquiesci, dizendo:

– Mr. Valdemar, ainda está dormindo?

Como anteriormente, alguns minutos transcorreram antes que uma resposta fosse dada; e durante o intervalo, o moribundo parecia estar reunindo energias para falar. Quando repeti a pergunta pela quarta vez, ele disse muito fracamente, em uma voz que mal se escutava:

– Sim, estou adormecido – estou morrendo.

Era agora a opinião, ou antes a ordem dos médicos, que Mr. Valdemar fosse deixado tranquilo em seu estado presente de aparente calma, até que sobreviesse a morte – o que ocorreria, segundo concordaram, dentro de alguns minutos. Mas decidi falar com ele uma última vez e meramente repeti minha última pergunta.

Enquanto falava, ocorreu uma sensível mudança na fisionomia do hipnotizado. Os olhos se abriram lentamente, embora as pupilas estivessem invisíveis, porque o globo ocular havia girado para cima; a pele assumiu uma coloração cadavérica geral, parecendo não tanto pergaminho como papel branco; e as manchas circulares provocadas pela febre, que até então estavam claramente definidas no centro de cada face, *se apagaram* subitamente. Uso esta expressão porque desapareceram tão subitamente que me fizeram lembrar o apagar de uma vela por um sopro repentino. O lábio superior, ao mesmo tempo, retorceu-se para mostrar os dentes, que até então havia recoberto completamente, enquanto a mandíbula inferior abria-se com um ruído perfeitamente audível, deixando a boca bem aberta e mostrando claramente a língua inchada e enegrecida. Presumo que nenhum dos presentes no quarto estava desacostumado aos horrores que ocorrem em um leito de morte, mas a aparência de Mr. Valdemar tornou-se medonha além da imaginação, a tal ponto que todos recuamos involuntariamente de perto da cama.

Sinto agora que atingi o ponto da narrativa que vai despertar a positiva descrença de todos os leitores. Todavia, meu dever é simplesmente prosseguir.

Não havia agora os menores sinais de vitalidade em Mr. Valdemar. Concluindo que se achava morto, íamos entregá-lo aos cuidados dos enfermeiros, quando um forte movimento vibratório foi observado em sua língua. Esta vibração permaneceu talvez por um minuto inteiro. Ao final deste período, as mandíbulas distendidas e imóveis projetaram uma espécie de voz – uma voz tal que seria loucura minha tentar descrevê-la. Existem alguns adjetivos que poderiam ser-lhe parcialmente aplicáveis; eu poderia dizer, por exemplo, que o som era áspero, cavo e entrecortado; mas o conjunto horrendo é indescritível, pela simples razão de que sons semelhantes nunca foram lançados contra os ouvidos da humanidade. Não obstante, dois detalhes, conforme pensei na ocasião e ainda penso, poderiam ser com justeza declarados como característicos da entonação – e igualmente capazes de transmitir alguma ideia sobre suas peculiaridades sobrenaturais. Em primeiro lugar, a voz parecia atingir nossos ouvidos – pelo menos os meus – vinda de uma vasta distância, como se estivesse sendo projetada de uma imensa caverna nas profundezas da terra. Em segundo lugar, impressionou-me (e, neste ponto, realmente temo que será impossível fazer-me compreender) como as coisas gelatinosas e pegajosas afetam o sentido do tato.

Mencionei tanto "som" como "voz". Quero dizer que o som apresentava uma elocução distinta, uma dicção maravilhosa, uma pronúncia emocionantemente nítida das sílabas. Mr. Valdemar *falou* – obviamente em resposta à ultima pergunta que lhe havia feito alguns minutos antes. Como certamente os leitores se lembrarão, eu tinha indagado, mais uma vez, se ainda dormia. Desta vez, ele disse:

– Sim – não – eu *estive* dormindo. Mas agora – agora – eu *estou morto*.

Nenhum dos presentes pretendeu negar ou fingiu reprimir o horror trêmulo e indizível que nos acometeu, produzido por estas palavras, proferidas dessa maneira. Mr. L.—— (o estudante de medicina) desmaiou. Os enfermeiros imediatamente saíram do quarto e nada pudemos fazer que os induzisse a retornar. Não pretendo transmitir minhas próprias impressões aos leitores, porque são incompreensíveis até para mim mesmo. Por quase uma hora, nos ocupamos, silenciosamente, sem emitir uma só palavra, em reviver Mr. L.——. Depois que ele voltou a si, voltamos a investigar as condições de Mr. Valdemar.

Em todos os sintomas discerníveis, permanecia exatamente como descrevi da última vez, com a exceção de que o espelho não mostrava mais sinais de respiração. Uma tentativa de retirar sangue do braço falhou. Devo mencionar, também, que seu braço não respondia mais à minha vontade. Tentei em vão fazê-lo seguir a direção de minha mão. A única indicação real da influência mesmérica estava agora no movimento vibratório da língua, sempre que eu dirigia uma questão ao sr. Valdemar. Ele parecia estar fazendo um grande esforço para replicar, mas não possuía mais suficiente volição. Parecia totalmente insensível a perguntas que lhe fossem dirigidas por qualquer outra pessoa, mesmo que eu tivesse tentado estabelecer uma relação magnética com cada um dos presentes. Acredito que já relatei quanto é necessário para uma compreensão do estado em que o hipnotizado se encontrava nessa época. Foram contratados outros enfermeiros e às dez horas eu deixei a casa em companhia dos dois médicos e de Mr. L.——.

De tarde, voltamos todos para ver o paciente. Suas condições permaneciam exatamente as mesmas. Entabulamos uma discussão sobre a possibilidade e necessidade de despertá-lo, mas não encontramos muita dificuldade em concordar que não haveria nenhum resultado positivo se o fizéssemos. Era evidente que, por enquanto, a morte (ou aquilo que em geral chamamos de morte) tinha sido interrompida pelo processo mesmérico. Parecia claro a todos nós que acordar Mr. Valdemar seria garantir seu imediato falecimento, ou que, pelo menos, este ocorreria em poucos minutos.

Desde essa data até o final da semana passada – *um intervalo de quase sete meses* – continuamos a visitar diariamente a casa de Mr. Valdemar, algumas vezes acompanhados por outros médicos ou por alguns amigos. Todo esse tempo o magnetizado permaneceu *exatamente* como o tínhamos deixado da última vez. A atenção dos enfermeiros foi contínua.

Foi na última sexta-feira que finalmente decidimos fazer a experiência do despertar, desde que isso fosse possível; e foi o resultado (talvez) infeliz deste último experimento que deu origem a tantas discussões em círculos particulares – que deu origem a uma parte tão importante do que não posso deixar de denominar um sentimento popular injustificável.

Com o propósito de aliviar Mr. Valdemar de seu transe mesmérico, usei os passes de costume. Apesar de meus esforços, durante algum tempo não obtive o menor sucesso. A primeira indicação de um retorno à vida foi uma descida parcial das íris dos olhos. Foi observado, como se fosse particularmente notável, que este movimento das pupilas era acompanhado por um derramamento profuso de uma espécie de pus amarelado (que brotava de algum ponto sob as pálpebras) de odor pungente e altamente ofensivo.

Foi então sugerido que eu tentasse influenciar o braço do paciente, como havia feito anteriormente. Fiz a tentativa sem sucesso. O dr. F.——— então manifestou o desejo de que eu apresentasse uma questão ao adormecido. Procedi da maneira seguinte:

– Mr. Valdemar, o senhor poderia nos explicar quais são seus sentimentos ou seus desejos no presente momento?

Houve um retorno instantâneo dos círculos coloridos nas faces, a língua pôs-se a tremer, ou melhor, passou a girar violentamente no interior da boca (embora as mandíbulas e os lábios permanecessem tão rígidos quanto antes) e, afinal, a mesma voz pavorosa que descrevi anteriormente explodiu em palavras entrecortadas:

– Pelo amor de Deus! Depressa! Depressa! Faça-me dormir de novo! Ou então, depressa! Acorde-me – acorde-me logo! – *Eu lhe digo que estou morto!*

Meu sistema nervoso ficou completamente afetado e por um instante permaneci sem saber o que fazer. A princípio, fiz uma tentativa para acalmar o paciente; porém, fracassando devido à total ausência da vontade do magnetizado, mudei de ideia, refiz as etapas ao contrário e lutei energicamente para despertá-lo. Logo percebi que este processo teria êxito – ou, em minha fantasia, logo imaginei que meu sucesso seria completo –, e tenho certeza de que todos os presentes estavam agora aguardando o despertar do paciente.

Porém, é completamente impossível que qualquer ser humano pudesse estar preparado para o que realmente ocorreu.

Rapidamente, dei os passes indicados pela ciência mesmérica, enquanto gritos de *"Morto! Morto!"* absolutamente *explodiam* da língua do infeliz, embora seus lábios permanecessem sem movimento. E, de repente, seu corpo inteiro – no transcurso de um único minuto ou talvez ainda menos – encolheu – desmanchou-se – absolutamente *apodreceu* diante de nossos olhos, enquanto minhas mãos ainda o estavam tocando. Sobre a cama, sob as vistas estupefatas de todos os presentes, havia somente uma massa quase líquida de podridão nojenta e detestável.

O gato preto

Não espero nem peço que acreditem nesta narrativa ao mesmo tempo estranha e despretensiosa que estou a ponto de escrever. Seria realmente doido se esperasse, neste caso em que até mesmo meus sentidos rejeitaram a própria evidência. Todavia, não sou louco e certamente não sonhei o que vou narrar. Mas amanhã morrerei e quero hoje aliviar minha alma. Meu propósito imediato é o de colocar diante do mundo, simplesmente, sucintamente e sem comentários, uma série de eventos nada mais do que domésticos. Através de suas consequências, esses acontecimentos me terrificaram, torturaram e destruíram. Entretanto, não tentarei explicá-los nem justificá-los. Para mim significaram apenas Horror, para muitos parecerão menos terríveis do que góticos ou grotescos. Mais tarde, talvez, algum intelecto surgirá para reduzir minhas fantasmagorias a lugares-comuns – alguma inteligência mais calma, mais lógica, muito menos excitável que a minha; e esta perceberá, nas circunstâncias que descrevo com espanto, nada mais que uma sucessão ordinária de causas e efeitos muito naturais.

Desde a infância observaram minha docilidade e a humanidade de meu caráter. A ternura de meu coração era de fato tão conspícua que me tornava alvo dos gracejos de meus companheiros. Gostava especialmente de animais e, assim, meus pais permitiam que eu criasse um grande número de mascotes. Passava a maior parte de meu tempo com eles e meus momentos mais felizes transcorriam quando os alimentava ou acariciava. Esta peculiaridade de caráter cresceu comigo e, ao tornar-me homem, prossegui derivando dela uma de minhas principais fontes de prazer. Todos aqueles que estabeleceram uma relação de afeto com um cão inteligente e fiel dificilmente precisarão que eu me dê ao trabalho de explicar a natureza da intensidade da gratificação que deriva de tal relacionamento. Existe alguma coisa no amor altruísta e pronto ao sacrifício de um animal que vai diretamente ao coração daquele que teve ocasiões frequentes de testar a amizade mesquinha e a frágil fidelidade dos homens.

Casei-me cedo e tive a felicidade de encontrar em minha esposa uma disposição que não era muito diferente da minha. Observando como gostava de animais domésticos, ela não perdeu oportunidade para me trazer representantes das espécies mais agradáveis. Tínhamos pássaros, peixinhos dourados, um belo cão, coelhos, um macaquinho e *um gato*.

Este último era um animal notavelmente grande e belo, completamente preto e dotado de uma sagacidade realmente admirável. Ao falar de sua inteligência, minha esposa, cujo coração não era afetado pela mínima superstição, fazia frequentes alusões à antiga crença popular de que todos os gatos pretos eram bruxas disfarçadas. Não que ela jamais mencionasse esse assunto *seriamente* – e se falo nele é simplesmente porque me recordei agora do fato.

Pluto – esse era o nome do gato – era minha mascote favorita e era com ele que passava mais tempo. Era só eu que o alimentava e o animal me acompanhava em qualquer parte da casa em que eu fosse. De fato, era difícil impedi-lo de sair à rua comigo e acompanhar-me.

Nossa amizade perdurou desta forma por diversos anos, durante os quais meu temperamento geral e meu caráter – devido à interferência da Intemperança criada pelo Demônio – tinham (meu rosto se cobre de rubor ao confessá-lo) sofrido uma mudança radical para pior. A cada dia que se passava eu ficava mais mal-humorado, mais irritável, menos interessado nos sentimentos alheios. Permitia-me usar linguagem grosseira com minha própria esposa. Após um certo período de tempo, cheguei a torná-la alvo de violência pessoal. Naturalmente, minhas mascotes sentiram a diferença em minha disposição. Não apenas as negligenciava, como chegava a tratá-las mal. Mas com relação a Pluto, entretanto, eu ainda conservava suficiente consideração para conter-me antes de maltratá-lo, ao passo que não tinha escrúpulos em judiar dos coelhos, do macaco e até mesmo do cão quando, por acidente ou até mesmo por afeição, eles se atravessavam em meu caminho. Porém minha doença cresceu cada vez mais – pois que doença é pior que o vício do alcoolismo? – e, finalmente, até Pluto, que estava agora ficando velho e, em consequência, um tanto impertinente, até Pluto começou a experimentar os efeitos de meu mau humor.

Uma noite, ao chegar em casa bastante embriagado, depois de um de meus passeios sem destino através da cidade, imaginei que o gato estava evitando minha presença. Agarrei-o à força; e então, assustado por minha violência, ele infligiu uma pequena ferida em minha mão com os dentinhos. A fúria de um demônio possuiu-me instantaneamente. Nem sequer conseguia reconhecer a mim mesmo. Minha alma original parecia ter fugido imediatamente de meu corpo; e uma malevolência mais do que satânica, alimentada pelo gim, assumiu o controle de cada fibra de meu corpo. Tirei um canivete do bolso de meu colete, abri a lâmina, agarrei a pobre besta pela garganta e deliberadamente arranquei da órbita um de seus olhos. Encho-me de rubor e meu corpo todo estremece enquanto registro esta abominável atrocidade.

Quando a manhã me trouxe de volta à razão – depois que o sono tinha apagado a maior parte do fogo de minha orgia alcoólica –, experimentei um sentimento misto de horror e de remorso pelo crime que havia cometido. Mas este sentimento foi no máximo débil e elusivo e a alma permaneceu intocada. Novamente mergulhei em meus excessos e logo afoguei na bebida toda lembrança de minha má ação.

Enquanto isso, o gato lentamente se recuperou. A órbita vazia do olho perdido apresentava, naturalmente, uma aparência assustadora, mas ele não parecia estar sofrendo mais nenhuma dor. Andava pela casa, como de costume, mas, como se poderia esperar, fugia de mim em extremo terror cada vez que chegava perto dele. Ainda me restava uma certa parte de meu ânimo anterior e a princípio lamentei que agora me detestasse tanto uma criatura que já me havia amado. Mas este sentimento logo deu lugar à irritação. E então fui acometido, como se fosse para minha queda final e irrevogável, pelo espírito da *Perversidade*. A própria filosofia não estudou este espírito. E todavia, assim como tenho certeza de possuir uma alma vivente, é minha convicção que a perversidade é um dos impulsos primitivos do coração humano – uma das faculdades primárias e indivisíveis, um dos sentimentos que dão origem e orientam o caráter do Homem. Quem já não se flagrou uma centena de vezes a cometer uma ação vil ou meramente tola por nenhuma razão exceto sentir que *não devia*? Não temos todos nós uma inclinação perpétua e contrária a nosso melhor julgamento para violar as *Leis*, simplesmente porque compreendemos que são obrigatórias? Pois foi este espírito de Perversidade, digo eu, que veio a causar minha queda final. Foi este anseio insondável da alma, que anela por *prejudicar a si mesma*, por oferecer violência à sua própria natureza, por praticar o mal pelo amor ao mal e nada mais, que me impulsionou a prosseguir e finalmente consumar a injúria que tinha infligido sobre a pequena besta inofensiva. Uma manhã, a sangue-frio, passei-lhe um laço ao redor da garganta e o pendurei no galho de uma árvore – enforquei-o com lágrimas nos olhos, sentindo ao mesmo tempo o remorso mais amargo em meu coração –, assassinei o pobre gato *porque* sabia que ele me tinha amado e *porque* eu entendia muito bem que ele não me tinha dado razão alguma de queixa – matei-o *porque* sabia que ao fazê-lo estava cometendo um pecado – um pecado mortal que iria manchar minha alma imortal ao ponto de colocá-la – se isso fosse possível – fora do alcance até mesmo da infinita misericórdia do Deus Mais Misericordioso e Mais Terrível.

Na noite seguinte ao dia em que pratiquei esta ação cruel, fui despertado do sono por gritos de "Fogo!". As cortinas de meu leito estavam em chamas. A casa inteira estava ardendo. Foi com grande dificuldade que minha esposa, uma criada e eu mesmo escapamos da conflagração. A destruição foi completa. Todos os meus bens materiais foram consumidos e a partir desse momento entreguei-me ao desespero.

Estou acima da fraqueza de tentar estabelecer uma sequência de causa e efeito entre o desastre e a atrocidade. Mas estou detalhando um encadeamento de fatos – e não desejo deixar imperfeito um só dos elos da corrente. No dia que se seguiu ao incêndio, visitei as ruínas. Todas as paredes tinham desabado, à exceção de uma única. Esta exceção foi a de um aposento interno, uma parede não muito grossa, que se erguia mais ou menos na metade da casa, justamente aquela contra a qual descansava a cabeceira de minha cama. O próprio reboco tinha ali, em grande parte, resistido à ação do fogo – segundo julguei, porque era feito de argamassa nova, talvez ainda um pouco úmida. Em torno desta parede estava reunida uma grande multidão; e muitas pessoas pareciam estar examinando um trecho especial dela, com minuciosa atenção. As palavras "estranho", "singular" e outras semelhantes excitaram-me a curiosidade. Aproximei-me e vi, como se estivesse gravado em *bas relief*[10] sobre a superfície branca, a figura de um *gato* gigantesco. A imagem estava desenhada com uma precisão realmente maravilhosa. Havia *uma corda* esboçada ao redor do pescoço do animal.

Da primeira vez que contemplei esta aparição – porque dificilmente poderia chamá-la de algo menos assombroso –, meu espanto e meu terror foram extremos. Mas, finalmente, o raciocínio e a reflexão vieram em meu amparo. O gato, segundo recordava, tinha sido enforcado em um jardim adjacente à casa. Logo que fora dado o alarme de incêndio, este jardim ficou imediatamente cheio de basbaques, um dos quais provavelmente tinha cortado a corda que prendia à arvore o gato e jogado o animal dentro de meu quarto através de uma janela aberta. Talvez até mesmo a intenção fosse boa, quem sabe queriam acordar-me do sono e lançassem o animal janela adentro para esse fim. A queda das outras paredes tinha comprimido a vítima de minha crueldade na

---

10. Baixo-relevo. Em francês no original. (N.T.)

própria substância do reboco recém-aplicado; o cal contido nele, misturado à amônia proveniente da carcaça, com o calor das chamas, tinha então realizado o retrato que contemplava agora.

Embora eu satisfizesse minha razão assim rapidamente, se bem que não tivesse podido acalmar totalmente minha consciência e tentasse desse modo descartar o fato assombroso que acabei de descrever, isso não impediu que produzisse forte impressão sobre minha imaginação. Durante meses não conseguia livrar minha visão interna do fantasma do gato; e, durante esse período, retornou a meu espírito uma espécie de sentimento que se assemelhava a remorso, mas não era exatamente isso. Cheguei ao ponto de lamentar a perda do animal e a procurar, nos ambientes ordinários que agora habitualmente frequentava, outra mascote da mesma espécie, cuja aparência fosse semelhante e pudesse ocupar o vazio deixado pela primeira.

Uma noite eu estava sentado, entorpecido de tanto beber, em um botequim da pior espécie, quando minha atenção foi subitamente atraída para um objeto preto que repousava sobre a tampa de uma das imensas bordalesas de gim ou de rum que constituíam o principal mobiliário da peça. Há vários minutos eu já contemplava fixamente a tampa desse barril, e o que agora me causava surpresa era o fato de que não houvesse percebido antes o objeto que se encontrava sobre ele. Aproximei-me a passos vacilantes, estendi a mão e toquei-o. Era um gato preto – um animal muito grande –, tão grande quanto

Pluto e extremamente parecido com ele em todos os detalhes, salvo um: Pluto não tinha um pelo branco sequer em qualquer porção de seu corpo; mas este gato tinha uma mancha branca bastante grande, embora de formato indefinido, cobrindo-lhe quase inteiramente o peito.

Assim que o toquei, o animal ergueu-se imediatamente, ronronou bem alto, esfregou-se contra minha mão e pareceu encantado com minha atenção. Tinha encontrado a própria criatura que vinha procurando. Imediatamente fui falar com o taverneiro e ofereci-me para comprar o bichano, mas ele disse que o animal não lhe pertencia – que nunca o tinha visto antes e que não fazia a menor ideia de onde tinha vindo ou a quem pudesse pertencer.

Continuei com minhas carícias, e, quando me dispus a ir para casa, o animal demonstrou estar disposto a me acompanhar. Permiti-lhe que o fizesse; de fato, durante o caminho, ocasionalmente parava, curvava-me e fazia-lhe carícias. Quando chegamos à casa em que agora eu morava, ele familiarizou-se de imediato, adquirindo em seguida as boas graças de minha esposa.

Quanto a mim, para meu desapontamento, logo descobri que não gostava do animal. Isto era justamente o reverso do que havia antecipado; porém – não sei como nem por que – o evidente prazer que o gato achava em minha companhia me aborrecia e enojava. Lenta e progressivamente, estes sentimentos de desgosto e aborrecimento se transformaram em rancor e ódio. Evitava a criatura, sempre que podia; uma certa sensação de vergonha e a lembrança de meu antigo feito de crueldade evitaram que eu o machucasse fisicamente. Durante algumas semanas, eu não bati nele nem o maltratei violentamente; mas gradualmente – muito gradualmente – comecei a encará-lo com uma repugnância indescritível e a fugir silenciosamente de sua presença odienta, como se estivesse tentando escapar do sopro sufocante de um pântano ou do hálito pestilento de uma praga.

Sem a menor dúvida, o que originou meu rancor pelo animal foi a descoberta, logo na manhã seguinte à noite em que o trouxe para casa, de que ele, exatamente como Pluto, também tivera um dos olhos arrancado. Esta circunstância, entretanto, só levou minha esposa a gostar ainda mais dele, a qual, conforme relatei anteriormente, possuía em alto grau aquela humanidade de sentimentos que em épocas passadas fora também um de meus traços característicos e a fonte de muitos de meus prazeres mais simples e puros.

À medida que aumentava minha aversão pelo gato, seu amor por mim parecia crescer na mesma proporção. Seguia meus passos com uma pertinácia que seria difícil fazer o leitor compreender. Onde quer que me assentasse, vinha enroscar-se embaixo de minha cadeira ou saltar sobre meus joelhos, cobrindo-me de carinhos nojentos. Se eu me erguesse para caminhar, ele se intrometia entre meus pés e quase me fazia cair; ou, então, cravava suas unhas longas e afiadas em minhas roupas e procurava, desta forma, trepar até chegar a meu peito. Nessas ocasiões, embora eu ansiasse por rebentá-lo à pancada, ainda me sentia incapaz de fazê-lo, em parte pela recordação de meu crime anterior, mas especialmente – confessarei de imediato – porque tinha absoluto *pavor* daquele animal.

Este pavor não era exatamente um temor da possibilidade de algum dano físico, todavia não sou capaz de defini-lo de outra forma. Estou quase envergonhado de admitir – sim, mesmo nesta cela de condenado tenho quase vergonha de admitir – que o terror e horror que o animal me inspirava tinham sido muito aumentados por uma das mais ilusórias quimeras que teria sido possível conceber. Minha esposa me tinha chamado a atenção, mais de uma vez, para o caráter da mancha de pelo branco que já mencionei e que constituía a única diferença aparente entre o estranho animal e aquele que eu tinha morto. O leitor há de lembrar que esta marca, embora grande, era originalmente muito indefinida; porém, muito lentamente, de uma forma quase imperceptível, uma forma que por muito tempo minha Razão lutou para considerar como meramente fantasiosa, acabou por assumir um contorno rigorosamente distinto. Era agora a representação de um objeto tal que a simples ideia de mencioná-lo me faz tremer. Era por isso, acima de tudo, que eu detestava e temia tanto aquele monstro e teria me livrado dele, se ao menos eu *ousasse*. Essa imagem, escrevo agora, era a imagem de uma coisa horrível, uma coisa apavorante... a imagem de uma FORCA! Ah, melancólico e terrível instrumento de Horror e de Crime – de Agonia e de Morte!

E agora eis que me encontrava realmente desgraçado, um miserável além da desgraça e da miséria da natureza humana. E era *um animal sem alma*, cujo companheiro eu tinha destruído com desprezo, era *um animal sem alma* que originava em *mim* – eu, que era um homem, criado à imagem do Deus Altíssimo – tanta angústia intolerável! Ai de mim! Nem de dia, nem de noite eu era mais abençoado pelo Repouso! Durante o dia a criatura não me deixava por um único momento; e, de noite, eu me acordava de hora em hora, despertado de sonhos cheios de um pavor indescritível, para encontrar a respiração quente daquela *coisa* soprando diretamente sobre meu rosto e seu enorme peso – um pesadelo encarnado do qual eu não poderia jamais me acordar, oprimindo e esmagando eternamente o meu *coração*!

Sob a pressão de tormentos assim, os débeis traços que restavam de minha boa natureza sucumbiram totalmente. Os maus pensamentos se tornaram meus amigos íntimos, meus únicos amigos, logo os pensamentos mais ímpios e mais maléficos. O mau humor de minha disposição habitual transformou-se em um rancor indefinido voltado para todas as coisas e para toda a humanidade; e os acessos de fúria súbitos, frequentes e incontroláveis aos quais eu agora me abandonava cegamente e sem o menor remorso eram descarregados – ai de mim! – precisamente sobre minha esposa, a sofredora mais paciente e mais constante, que nunca emitia sequer uma palavra de queixa ou de revolta contra mim.

Um dia ela me acompanhou, com a intenção de executar alguma tarefa doméstica, ao porão do velho edifício em que nossa pobreza atual nos obrigava a morar. O gato me seguiu pelos degraus íngremes e, quando me fez tropeçar e quase me levou a cair escada abaixo, deixou-me exasperado a ponto de enlouquecer. Erguendo um machado, esquecido em minha cólera do medo infantil que até então havia impedido que levantasse um dedo contra ele, dirigi um golpe ao animal que, sem a menor dúvida, teria sido fatal se tivesse acertado onde eu queria. Porém a machadada foi impedida pela mão de minha esposa a segurar-me o braço. Esta interferência me lançou em uma raiva mais do que demoníaca: arranquei o braço de seu aperto e, com um único golpe, enterrei o machado na cabeça dela. Ela caiu morta no mesmo lugar, sem soltar um único gemido.

Tendo cometido este assassinato pavoroso, imediatamente, sem remorsos e da maneira mais deliberada possível, voltei-me para a tarefa de esconder o corpo. Sabia que não podia removê-lo da casa, tanto de dia como de noite, sem correr o risco de ser observado pelos vizinhos. Uma série de projetos passou por minha cabeça. Durante algum tempo, pensei em cortar o corpo em minúsculos fragmentos que depois destruiria no fogo. Depois pensei em cavar-lhe uma cova no chão do porão. Também me passou pela cabeça jogar o cadáver no poço que ficava no pátio; ou colocá-lo dentro de uma caixa, como se fosse uma mercadoria, aplicando todos os cuidados que em geral se dedica à preparação de tais volumes e contratando um carregador para retirá-lo da casa. Finalmente, imaginei o que me pareceu ser um expediente melhor que qualquer um desses. Resolvi emparedá-lo em um dos cantos do porão – conforme dizem que os monges da Idade Média costumavam fazer com suas vítimas.

O porão estava perfeitamente adaptado para esse propósito. Suas paredes tinham sido muito malconstruídas e há pouco tempo tinham sido novamente rebocadas com uma argamassa grosseira, que a umidade do ambiente não deixara endurecer. Além disso, em uma das paredes havia uma projeção, causada por uma falsa chaminé ou lareira que tinha sido preenchida com tijolos na intenção de assemelhá-la ao restante das paredes do porão. Não tinha dúvidas de que poderia facilmente retirar os tijolos neste ponto, enfiar o cadáver e depois restaurar a parede inteira ao estado anterior, de tal modo que olhar algum poderia detectar qualquer coisa suspeita.

Não me enganava neste ponto. Com um pé de cabra retirei facilmente os tijolos e, depois de depositar o corpo cuidadosamente contra a parede interna, ergui-o de modo a deixá-lo em pé, apoiado contra a parede. Com pouca dificuldade recoloquei os tijolos e deixei a estrutura precisamente da maneira em que se achava antes. Tendo trazido cal, areia e uma porção de pelos de animais retirados de couros, como era costume na época, preparei, com todas as precauções possíveis, uma argamassa que não podia ser diferente da que recobria o restante da parede e com esta reboquei muito cuidadosamente os tijolos que havia recolocado. Ao terminar, sentia-me satisfeito com a perfeição do trabalho. A parede não apresentava o menor sinal de que tinha sido modificada. Recolhi a caliça do chão com o cuidado mais minucioso. Olhei ao meu redor triunfantemente e congratulei-me: "Pelo menos desta vez não trabalhei em vão".

Minha próxima tarefa era a de procurar a besta que tinha sido a causa de tamanha desgraça, porque tinha, finalmente, a firme resolução de matá-la. Se nesse momento tivesse podido encontrá-la, seu destino estaria selado, mas aparentemente o animal ardiloso tinha pressentido alguma coisa ou se amedrontado com a violência de minha raiva anterior, evitando apresentar-se diante de mim enquanto durasse minha má disposição. É impossível descrever ou imaginar a sensação de alívio profunda e abençoada que a ausência da detestada criatura causou em meu peito. Melhor ainda, o gato não apareceu nessa noite – e assim, ao menos por uma noite, desde que o desgraçado se introduzira em minha casa, dormi profunda e tranquilamente; sim, *dormi* o sono dos justos, mesmo que tivesse agora o peso de um assassinato em minha alma!

Passaram-se o segundo e o terceiro dias e meu atormentador não regressou. Novamente eu respirava como um homem livre. O monstro tinha fugido aterrorizado e deixado para sempre minha companhia! Nunca mais iria vê-lo! Minha felicidade era suprema! O remorso ocasionado por minha ação tão negra e perversa praticamente não me perturbava. Algumas perguntas haviam sido feitas, mas fora fácil responder. Até mesmo havia sido feita uma busca pela polícia, mas naturalmente não haviam descoberto nada. Pensei que minha felicidade futura estava assegurada.

Mas no quarto dia depois do assassinato, uma patrulha da polícia retornou, muito inesperadamente, entrou em minha casa e recomeçou a fazer uma investigação rigorosa do prédio. Achava-me seguro, todavia, devido à impenetrabilidade do lugar em que escondera o cadáver, e assim não me senti nem um pouco constrangido pela busca. Os policiais ordenaram-me que os acompanhasse enquanto procuravam. Não deixaram nem canto nem escaninho sem explorar. Finalmente, pela terceira ou quarta vez, desceram ao porão. Não senti estremecer nem um só de meus músculos. Meu coração batia calmamente como o de alguém perfeitamente inocente. Caminhei de ponta a ponta do porão. Cruzei os braços e fiquei andando de um lado para outro. A polícia finalmente satisfez-se e estava a ponto de partir, desta vez em definitivo. A alegria em meu coração era grande demais para ser contida. Ansiava para dizer ao menos uma palavra de triunfo e queria garantir-me duplamente de que eles me julgavam inocente.

– Cavalheiros – disse finalmente, enquanto o grupo subia as escadas –, estou encantado por ter desfeito todas as suas suspeitas. Desejo a todos uma boa saúde e um pouco mais de cortesia. A propósito, cavalheiros esta casa, esta casa é muito bem-construída. (Tomado de um violento desejo de aparentar a maior naturalidade, falava sem prestar muita atenção no que dizia.) Posso até dizer que é uma casa *excelentemente* bem-construída. Estas paredes – já estão de partida, cavalheiros? –, estas paredes são muito sólidas.

E foi neste ponto que, tomado por um estúpido frenesi de bravata, bati pesadamente com uma bengala que tinha na mão justamente sobre aquela porção da parede atrás da qual jazia o cadáver da esposa que tinha apertado tantas vezes contra o peito.

Possa Deus escudar-me e proteger-me das presas do Pai dos Demônios! Tão logo a reverberação dos golpes que havia dado desapareceu no silêncio, foi respondida por uma voz de dentro do túmulo! – respondida por um grito, a princípio abafado e entrecortado, como os soluços de uma criança, mas rapidamente se avolumando em um grito longo, alto e contínuo, totalmente anormal e desumano – um uivo –, um guincho lamentoso, meio de horror e meio de triunfo, tal como só poderia ter subido das profundezas do inferno, um berro emitido conjuntamente pelas gargantas de centenas de condenados à danação eterna, torturados em sua agonia, e pelos demônios que exultam em sua condenação.

É tolice tentar descrever meus pensamentos. Sentindo-me desmaiar, cambaleei até a parede oposta. Por um instante, o grupo de policiais que subia as escadas permaneceu imóvel, em um misto de espanto e profundo terror. No momento seguinte, uma dúzia de braços robustos esforçava-se por esboroar a parede. Ela caiu inteira. O cadáver, já bastante decomposto e coberto de sangue coagulado, estava ereto perante os olhos dos espectadores, na mesma posição em que eu o deixara. Mas sobre sua cabeça, com a boca vermelha escancarada e uma chispa de fogo no único olho, sentava-se a besta horrenda cujos ardis me tinham levado ao assassinato e cuja voz denunciadora agora me levaria ao carrasco. Eu havia emparedado o monstro dentro do túmulo!

Nunca aposte sua cabeça com o Diabo

Uma história com uma moral

"Con tal que las costumbres de un autor", diz Don Tomás De Las Torres, no prefácio de seu livro, *Poemas de um amador, "sean puras y castas, importo muy poco que no sean igualmente severas sus obras."* Isto significa, em português bem simples, que, desde que as atitudes morais de um autor sejam puras em sua vida diária, a moral expressada por ele através de seus livros não tem a menor importância. Presumimos que Don Tomás esteja agora pagando no Purgatório por esta afirmação. Seria uma coisa muito interessante, também, para fazer justiça poética, mantê-lo nesse lugar desagradável até que seus *Poemas de um amador* tenham sido completamente esquecidos ou pelo menos deixados na prateleira em caráter definitivo por absoluta falta de leitores. Toda obra de ficção *deve* ter uma moral; a propósito, a crítica literária descobriu que toda obra de ficção *de fato tem*. Philip Melancthon, alguns anos atrás, escreveu um comentário sobre a *Batrachomyomachia*[11] e provou que a intenção do

---

11. *Batrachomyomachia* (A Guerra dos Sapos com os Ratos) é um épico satírico grego que por muito tempo foi atribuído a Homero. (N.T.)

poeta era fazer os leitores detestarem revoluções. Pierre La Seine foi um pouco mais longe e mostrou que a intenção da obra era a de recomendar aos jovens temperança na comida e na bebida. Estudando a mesma obra, Jacobus Hugo[12] concluiu que Homero pretendia insinuar o nome de João Calvino através de Euenis; que Antinous era Martinho Lutero; que os Lotófagos eram os protestantes em geral; e que as Hárpias eram os holandeses. Nossos eruditos mais modernos são igualmente argutos. Estas sumidades demonstraram a existência de um significado oculto em *Os antediluvianos*; uma parábola em *Powhatan*; uma nova visão do mundo em *Cock Robin* e transcendentalismo em *Hop O' My Thumb*.[13] Para resumir, já foi demonstrado que nenhum homem pode se assentar a escrever sem que tenha um desígnio muito profundo. Muitos problemas são assim poupados para os autores em geral. Um novelista, por exemplo, não precisa se preocupar nem um pouco com a moral. Ela já se encontra em seus escritos – quer dizer, deve estar em alguma parte –, assim a

---

12. François-Jacobus Hugo (1716-1793), literato francês. Os nomes citados, Euenis e Antinous, são personagens da *Batrachomyomachia*; os Lotófagos eram uma tribo africana que vivia de folhas e flores de lótus; as Hárpias, três irmãs: Aelo, Ocípete e Celeno, filhas de Taumante e Electra, representadas como aves com cabeças de mulher. (N.T.)

13. *The Antediluvians*, ensaio apócrifo do século XVIII sobre a última geração anterior ao Dilúvio, em que apresenta os Nephilim, Anakim e Rephaim; *Powhatan* é o nome de uma nação ameríndia, que habitava em New Jersey, associada à história de Pocahontas, que deu origem a inúmeras obras; Cock Robin é um antigo personagem do folclore inglês, mais conhecido através da balada *Who Killed Cock Robin?*, da autoria de Rachel Carson; *Hop O'My Thumb* é uma versão de Tom Thumb, o Pequeno Polegar, história folclórica europeia muito antiga. (N.T.)

moral e os críticos podem tomar conta de si mesmos. Quando chegar a ocasião apropriada, tudo o que o cavalheiro pretendia, e até mesmo o que ele não pretendia será trazido à luz no *Dial* ou no *Down-Easter*,[14] juntamente com tudo o que ele deveria ter pretendido e mais o resto que ele claramente tencionava pretender mais tarde – e assim tudo vai dar certo no fim.

Não há razão, portanto, para a acusação que me foi feita por alguns ignorantes, de que eu nunca escrevi um conto com cunho moral, ou, para usar uma terminologia mais precisa, uma história com uma moral. Não são estes críticos que vão me corrigir e *desenvolver* minha moral – este é o segredo. Eventualmente algum exemplar do *North American Quarterly Humdrum*[15] fará com que se envergonhem de sua estupidez. Enquanto isso, para adiar minha execução, para mitigar as acusações levantadas contra mim, ofereço a triste história publicada abaixo, sobre cuja moral não pode recair a menor acusação, uma vez que pode ser lida nas grandes maiúsculas que formam o título do conto. Eu deveria receber o devido crédito por esta disposição do cabeçalho, muito mais inteligente que a de La Fontaine e de outros, que reservam a lição moral para o último momento e assim a introduzem justamente no final de suas fábulas.

Defuncti injuria ne afficiantur era uma das Leis das Doze Tábuas; e o provérbio *De mortuis nil*

---
14. Revistas literárias, provavelmente imaginárias. (N.T.)
15. *Monotonia Trimestral Norte-Americana*, uma revista imaginária. (N.T.)

nisi bonum[16] é uma excelente recomendação – mesmo que o morto em questão não valha mais que a cerveja deixada no fundo do canecão. Não é minha intenção, portanto, vituperar meu amigo falecido, Toby Dammit. Ele era um patife infeliz como um cachorro e morreu uma morte de cão; mas de fato não era ele o culpado por seus vícios. Foram o resultado dos defeitos da personalidade de sua mamãe. Ela se esforçou o máximo para espancá-lo com frequência enquanto ele era menino, porque, para sua mente bem-regulada, os deveres eram sempre prazeres, e as crianças, como os bifes duros, ou como as modernas oliveiras gregas, invariavelmente melhoram com as batidas. Só que a pobre mulher tinha a infelicidade de ser canhota e é melhor que uma criança não apanhe nunca dos que batam nela com a mão esquerda. O mundo se move da direita para a esquerda. Não convém bater em uma criança da esquerda para a direita. Se cada golpe dado na direção certa expulsa uma inclinação má, segue-se que cada palmada aplicada na direção errada aumenta a maldade do indivíduo. Muitas vezes estive presente enquanto Toby era chicoteado; e até mesmo pela maneira como ele esperneava, dava para perceber que estava piorando a cada dia. Finalmente eu vi, através das lágrimas em meus olhos, que o pequeno vilão não tinha a menor esperança de se corrigir; e um dia em que ele tinha sido esbofeteado até ficar com

---

16. "Não serão feitas injúrias aos mortos." As Doze Tábuas constituem a primeira legislação escrita dos antigos Romanos, que os decênviros de 450 a.C. mandaram gravar em doze placas de bronze. "Sobre os mortos nada (se fale) senão o bem." Em latim no original. (N.T.)

o rosto tão preto que dava para confundi-lo com um jovem africano e o único efeito produzido foi um acesso de raiva, não pude mais suportar, e, caindo imediatamente de joelhos, erguendo minha voz bem alto, profetizei sua ruína.

O fato é que sua precocidade no vício foi terrível. Aos cinco meses de idade, costumava ter acessos de raiva tão grandes que era incapaz de falar. Aos seis meses, eu o encontrei mordendo um baralho. Aos sete meses, já havia adquirido o hábito constante de agarrar e beijar os nenês do sexo feminino. Aos oito meses, ele se recusou peremptoriamente a assinar um compromisso de que não tomaria bebidas alcoólicas. Assim, ele prosseguiu aumentando sua iniquidade, mês após mês, até que, no final de seu primeiro ano de vida, não somente insistia em usar um *bigode*, como tinha adquirido o costume de xingar e praguejar e reforçar todas as suas afirmativas por meio de apostas.

Através desta última prática, tão contrária aos costumes dos cavalheiros, a ruína que eu havia predito para Toby Dammit finalmente o alcançou. Esse péssimo hábito "havia crescido junto com ele e se fortalecido com o aumento de sua força", de tal modo que, quando se tornou homem, praticamente não conseguia pronunciar uma frase sem enriquecê-la com o tempero de uma aposta. Não que ele de fato *jogasse a dinheiro* – seria tão fácil ele pôr dinheiro em uma aposta como pôr ovos no galinheiro. O costume era simplesmente uma fórmula – nada mais que isso. As expressões que empregava para reforçar seu pensamento eram perfeitamente sem sentido. Eram exclamações puras e simples, se bem que não totalmente inocentes – frases imaginosas com que completar uma sentença. Quando ele dizia "aposto tal e tal coisa", ninguém jamais pensava em pegá-lo pela palavra; mesmo assim, eu não podia deixar de considerar que meu dever era repreendê-lo. O hábito era imoral e eu lhe repetia esta opinião frequentemente. Era um hábito vulgar; eu lhe pedia que acreditasse nisso. Era um hábito condenado pela sociedade – não lhe dizia mais que a verdade. Era proibido por uma Lei do Congresso Americano – mesmo aqui eu não tinha a menor intenção de dizer uma mentira. Eu insisti muitas vezes com ele, mas nunca adiantou nada. Eu suplicava e ele sorria. Eu implorava e ele ria. Eu pregava e ele zombava. Eu ameaçava e ele praguejava. Se eu lhe dava um pontapé, ele chamava a polícia. Se eu lhe puxava o nariz, ele fungava e me sujava a mão, e se propunha a apostar a cabeça com o Diabo como eu não tentaria fazer *isso* de novo.

A pobreza era outro vício que a deficiência física peculiar da mãe de Dammit tinha imposto a seu filho. Ele era detestavelmente pobre; sem dúvida esta era a razão por que suas expressões características sobre apostas raramente assumiam uma coloração pecuniária. Sou obrigado a dizer que nunca o escutei utilizar uma figura de linguagem tal como "aposto um dólar". Em geral, ele dizia coisas como "aposto o que você quiser" ou "aposto tudo o que você tiver coragem" ou "aposto qualquer besteira" ou então, o que era muito mais significativo, sua expressão mais vulgar: *"Aposto minha cabeça com o Diabo"*.

Era esta última frase que parecia agradar-lhe mais, talvez porque achasse que era a que envolvia o menor risco. Na verdade, Dammit tinha se tornado extremamente econômico. Se alguém aceitasse a aposta, sua cabeça era mesmo pequena e assim sua possível perda não seria grande. Porém estas são as minhas próprias reflexões e não estou absolutamente seguro de que tenha o direito de atribuir a ele este tipo de intenção. Seja como for, essa frase tornou-se a cada dia a mais favorita, sem tomar em consideração como era inadequado apostar o cérebro como se fossem notas de banco – porém este era um ponto que a perversidade de disposição de meu amigo não lhe permitia compreender. No final, ele abandonou todas as outras expressões lúdicas e entregou-se inteiramente ao lema *"Aposto minha cabeça com o Diabo"*, com uma pertinácia e exclusividade de devoção que me desagradava tanto quanto me surpreendia. Reconheço que circunstâncias que não posso explicar sempre me desagradam. Mistérios obrigam um homem a pensar e isto pode fazer mal à cabeça. A verdade é, havia alguma coisa no *ar* com que Mr. Dammit tinha o costume de dar vasão à sua expressão ofensiva, alguma coisa na *maneira* como a enunciava, que a princípio me interessou, mas que depois passou a me deixar muito inquieto – uma coisa que, por falta de uma melhor expressão, me permitirão classificar como apenas *estranha*, mas que provavelmente Mr.

Coleridge teria chamado de mística, Mr. Kant, panteística, Mr. Carlyle, retorcida, e Mr. Emerson, hiperexcêntrica. Logo a expressão me aborreceu tanto que não gostava nem um pouco de escutá-la. A alma de Mr. Dammit estava em grande perigo. Resolvi usar de toda a minha eloquência a fim de salvá-la. Prometi a mim mesmo servi-lo como dizem que São Patrício[17], na crônica irlandesa, teria servido a um sapo "a fim de despertá-lo para a compreensão de sua própria natureza". Comecei a tarefa imediatamente. Outra vez apliquei-me a repreendê-lo. Novamente reuni minhas energias para uma tarefa final de vituperação.

Assim que concluí minha preleção, Mr. Dammit permitiu-se um comportamento muito equívoco. Por alguns momentos, permaneceu silencioso, simplesmente fitando-me inquisitivamente. Mas após alguns instantes, virou a cabeça para um lado, elevando as sobrancelhas até a metade da testa. Depois abriu as mãos e estendeu as palmas para fora enquanto dava de ombros. Então piscou o olho direito. A seguir, repetiu a operação com o esquerdo. Prosseguiu fechando ambos os olhos bem apertados. No minuto seguinte, abriu-os a tal ponto que me preocupei seriamente com as consequências. Um instante depois, aplicou o polegar à ponta do nariz e achou adequado executar um movimento indescritível com o restante de seus dedos. Finalmente, colocando as mãos na cintura, condescendeu em responder.

---

17. São Patrício, que viveu no século V, é o apóstolo e patrono da Irlanda. (N.T.)

Só me posso recordar dos pontos principais de seu discurso. Ele me agradeceria muito se eu controlasse minha língua. Não precisava do conselho de ninguém. Desprezava todas as minhas insinuações. Já tinha idade bastante para cuidar de si mesmo. Então eu pensava que ele ainda era o Bebê Dammit? Eu pretendia lançar aspersões sobre seu caráter? Tinha a intenção de insultá-lo? Pois então eu não passava de um idiota? Será que minha mãe me tinha dado licença para sair de casa? Só fazia esta última pergunta por saber que eu era um homem de palavra, que nunca mentia, e portanto ele se comprometia a acreditar em minha resposta. E de novo, indagou explicitamente se minha mãe sabia que eu estava na rua. Minha confusão, disse ele, traía minha ausência sem permissão – ele estava disposto a apostar a cabeça com o Diabo como minha mãe não fazia ideia de meu paradeiro.

Mr. Dammit não esperou por minha resposta. Virando rapidamente nos calcanhares, deixou minha presença com uma precipitação indigna. E foi muito bom que tivesse feito isso. Meus sentimentos estavam feridos. Até mesmo minha cólera havia sido despertada. Desta vez, eu estava disposto a aceitar sua aposta insultante. Eu teria conquistado a cabecinha de Mr. Dammit para entregá-la nas mãos do Arqui-inimigo. Porque, de fato, minha mamãe *sabia muito bem* que minha ausência de casa era apenas temporária.

Mas *Khoda shefa midêhed* – o Céu dá alívio, que os Céus te protejam, como dizem os muçulmanos quando a gente pisa nos pés deles. Eu tinha sido insultado enquanto cumpria meu dever e suportei o insulto como um homem. Porém agora me parecia que eu tinha feito tudo que poderia ser exigido de minha amizade, no caso desse indivíduo miserável; resolvi, portanto, não incomodá-lo mais com meus conselhos, mas deixá-lo a cargo de sua própria consciência. Mas ainda que eu tivesse decidido não manifestar-lhe mais minha opinião, não pude me resolver a abrir mão totalmente de sua companhia. Cheguei mesmo ao ponto de concordar com algumas de suas tendências menos repreensíveis; houve até ocasiões em que me flagrei rindo de seus gracejos pecaminosos, da mesma forma que os gastrônomos comem mostarda – com lágrimas nos olhos, tão profundamente me magoava escutar sua conversa maligna.

Um belo dia em que estávamos passeando lado a lado, nosso caminho nos levou até um rio. Havia uma ponte, e decidimos atravessá-la. Era uma ponte coberta com paredes laterais e telhado, para proteção contra o tempo, e a passagem coberta, tendo poucas janelas, era inconfortavelmente escura. Assim que entramos na passagem, o contraste entre o brilho do sol e o interior escuro pesou fortemente sobre meu espírito. O mesmo não aconteceu com o infeliz Dammit, que se ofereceu para apostar a cabeça com o Diabo como eu estava deprimido. Ele estava em um estado de bom humor fora do comum. Parecia cheio de um entusiasmo excessivo – tanto que comecei a sentir não sei que espécie de suspeita. Não é impossível que ele já estivesse sendo afetado por entes sobrenaturais. Entretanto, não estou suficientemente bem-informado sobre os sintomas desta doença e assim não posso afirmar este ponto com decisão; infelizmente, nenhum dos meus amigos que escrevem no *Dial* estava presente. Levanto a suspeita, não obstante, porque meu pobre amigo parecia afetado por uma euforia que oscilava entre a palhaçada e a seriedade e o levava realmente a fazer papel de idiota. O tempo todo ele saltava por cima ou se arrastava por baixo de qualquer obstáculo que surgisse em nosso caminho, mesmo que fosse fácil desviar-se dele; às vezes berrava e às vezes murmurava palavras escolhidas ao acaso, desde interjeições até bombásticos adjetivos, mas o tempo todo conservava no rosto a expressão mais grave possível. Na verdade eu não sabia se devia rir dele, dar-lhe um pontapé ou ficar com pena. Pois bem, já tínhamos quase atravessado a ponte e estávamos no fim do caminho coberto, quando deparamos com uma espécie de roleta de uma considerável altura. Atravessei-a calmamente, empurrando as tábuas da borboleta, como de costume. Mas isto não servia a Mr. Dammit. Ele insistiu em pular por cima da catraca e afirmou poder tomar impulso e saltar por cima dela. Falando francamente, eu não achava que ele fosse capaz disso. O melhor saltador que eu conhecia era meu amigo, Mr. Carlyle, e eu sabia que *ele* não conseguiria dar um pulo desses. Não acreditava que Toby Dammit pudesse. Disse-lhe então, claramente, que ele era um gabola e um fanfarrão e não era capaz de fazer o que tinha dito. Logo depois, arrependi-me profundamente de tê-lo desafiado, porque imediatamente ele se ofereceu *a apostar a cabeça com o Diabo* como podia e faria.

Eu estava a ponto de responder, apesar de minha resolução anterior, com uma nova condenação de sua impiedade, quando escutei, junto a meu cotovelo, uma tosse baixa que soava muito parecido com a interjeição *"ahem!"* Assustei-me e olhei em torno, surpreendido. Finalmente, meu olhar recaiu sobre uma reentrância na armação da ponte, de onde surgiu a figura de um velho cavalheiro, um pouco coxo e meio baixote, mas de aspecto venerável. Nada podia ser mais respeitável que sua aparência inteira, porque não somente usava um terno preto completo, mas sua camisa estava perfeitamente limpa e a gola revirada cuidadosamente sobre uma gravata branca, ao mesmo tempo que seu cabelo era repartido como o de uma menina. Suas mãos estavam colocadas pensativamente sobre o estômago e os dois olhos cuidadosamente revirados para o alto de sua cabeça.

Depois de observá-lo com maior atenção, percebi que ele usava um avental de seda preta sobre seus calções apertados, o que me pareceu uma coisa muito estranha. Todavia, antes que eu tivesse tempo de fazer algum comentário sobre a singularidade de sua vestimenta, ele interpôs um segundo *"ahem!"*, como se estivesse com um pigarro e quisesse limpar a garganta.

Confesso que não estava imediatamente preparado para responder a este tipo de observação. O fato é que declarações assim lacônicas são quase irrespondíveis. Vi um dos colaboradores do *Quarterly Review* completamente confundido pela palavra *"besteira!"*. Portanto, não me envergonho de dizer que virei-me para Mr. Dammit em busca de assistência.

— Dammit — disse eu —, o que você está fazendo? Não escutou? O cavalheiro acabou de dizer *"ahem!"*.

Fiquei olhando severamente para meu amigo enquanto o interrogava; porque, para falar a verdade, eu estava totalmente confuso, e, quando um homem está particularmente confuso, ele deve franzir o cenho e adotar uma expressão violenta, caso contrário vai fazer papel de bobo.

— Dammit — observei, embora, nesse momento, o nome soasse quase como uma praga, coisa que não podia estar mais distante de minha intenção.[18] — Dammit — eu sugeri —, o cavalheiro está dizendo *"ahem!"*.

Não tentarei afirmar ter feito uma declaração profunda, eu mesmo não achei que significasse muita coisa, mesmo na ocasião; porém já observei que o efeito de nossa fala nem sempre é proporcional à sua importância diante de nossos próprios olhos; e, se eu tivesse atravessado Mr. D. com um tiro ou lhe batido na cabeça com um volume de *Poetas e Poesia da América* não lhe poderia ter causado maior desconforto do que quando lhe dirigi estas simples

---

18. Trocadilho com *Damn it!* – maldição, maldito seja, dane-se. O nome do personagem foi escolhido desde o início com intenção irônica. (N.T.)

palavras: "Dammit, o que você está fazendo? Não escutou? O cavalheiro acabou de dizer *"ahem!"*.

– Tem certeza disso? – disse ele finalmente, engolindo em seco, depois que passaram por seu rosto mais cores que as das bandeiras içadas por um navio pirata, uma após a outra, quando está sendo perseguido por um navio de guerra. – Tem certeza absoluta de que foi *isso* que ele falou? Bem, seja como for, agora entrei bem e o melhor é enfrentar com coragem. Pois então, lá vai: *ahem!*

O cavalheiro velho e baixinho pareceu muito satisfeito com a resposta – só Deus sabe por quê. Deixou o lugar em que estava postado junto à reentrância da ponte, avançou coxeando, mas mesmo assim com muita elegância, segurou a mão de Dammit e apertou-a cordialmente, fitando-o todo o tempo diretamente no rosto com um ar da mais completa benignidade que é possível a um homem imaginar.

– Tenho certeza absoluta de que você vai ganhar, Dammit – disse ele com um sorriso cheio da maior franqueza –, mas vamos ser obrigados a fazer a experiência, você sabe. Será apenas uma formalidade.

– Ahem! – replicou meu amigo, tirando o casaco com um profundo suspiro, amarrando um lenço ao redor da cintura e produzindo uma incrível alteração em sua fisionomia pelo simples expediente de virar os olhos para cima e retorcer para baixo os cantos da boca. – Ahem! – disse ele de novo e depois de uma pausa repetiu – Ahem! – E não o ouvi proferir nenhuma outra palavra depois disso, exceto "ahem!".

– Aha! – pensei eu, embora não me expressasse em voz alta, mas que estranho! Toby Dammit está sendo extraordinariamente silencioso. Sem dúvida, é consequência de haver falado tanto em ocasiões anteriores. Um extremo leva ao outro. Imagino se ele já esqueceu aquela porção de perguntas irretorquíveis que me jogou na cara tão fluentemente, naquele dia em que eu o aconselhei pela última vez? Seja como for, acredito que esteja curado de sua exuberância.

– Ahem! – respondeu Toby, como se estivesse lendo meus pensamentos, muito parecido com uma ovelha velha em pleno devaneio.

O velho cavalheiro o tomou pelo braço e o conduziu mais para dentro da sombra da ponte, a vários passos de distância da roleta.

– Meu caro amigo – disse ele. – Por uma questão de consciência, vou lhe dar todo este espaço para tomar impulso. Espere aqui, até que eu pare ao lado da borboleta para ver se você passa por cima dela elegante e transcendentalmente e não esquece de nenhum dos floreios que devem acompanhar um salto mortal. Apenas uma formalidade, você sabe. Eu vou dizer: "Um, dois, três, agora!". Faça-me o favor de iniciar exatamente na palavra "agora".

Então ele se posicionou junto à roleta, fez uma pausa, como se estivesse imerso em profunda reflexão, então *ergueu os olhos*, sorrindo muito levemente, segundo me pareceu, depois apertou os cordões de seu avental, lançou um longo olhar para Dammit e finalmente deu o sinal que havia sido combinado:

– *Um – dois – três –* agora!

Exatamente na palavra "agora", meu amigo lançou-se em um enérgico galope. A roleta não era nem muito alta, como na narrativa de Mr. Lord, nem muito baixa, como nas críticas dos revisores dos escritos de Mr. Lord, mas tudo considerado, eu tinha certeza de que ele conseguiria pular por cima. Mas e se não conseguisse? Ah, essa era a questão – e se ele não conseguisse? Afinal de contas, que direito, disse eu, tem esse velho cavalheiro de obrigar outro cavalheiro a pular? Mas esse velho baixinho, caduco e prepotente: *Quem é ele?* Se ele me mandar pular, é claro que eu não pulo, não tem erro, não me importa *quem diabo ele seja*. A ponte, como eu disse antes, era coberta e o telhado era arqueado, uma coisa muito ridícula, que provocava um eco muito desconfortável, um eco e uma reverberação que eu nunca tinha observado com muita atenção, antes de perceber que havia pronunciado em voz alta as últimas quatro palavras de minha observação.

Porém o que eu disse, ou o que eu pensei, ou o que eu escutei, ocupou somente um instante. Menos de cinco segundos depois de começar a correr, meu pobre Toby tinha dado o salto. Eu o vi correr agilmente, saltando com graça desde o assoalho da ponte, executando os mais excelentes floreios com as pernas enquanto pulava. Eu o vi bem alto no ar, dando um salto mortal admirável justamente acima da roleta; e naturalmente achei que era uma coisa singular que ele não *continuasse* a passar por cima. Mas o pulo inteiro ocorreu em um momento e, antes que eu pudesse refletir com maior profundidade, Mr. Dammit caiu de costas no chão, do mesmo lado da roleta em que tentara transpô-la. No mesmo instante, eu vi o velho cavalheiro coxeando o mais velozmente que podia e pegando e enrolando em seu avental alguma coisa que caiu pesadamente dentro dele, vinda da escuridão do arco que ficava exatamente por cima da roleta. Tudo isso me espantou muito, mas não tive tempo para pensar, porque Mr. Dammit estava deitado inteiramente quieto; concluí que seus sentimentos tinham sido feridos e que ele precisava de minha ajuda. Corri até onde ele estava e cheguei à conclusão de que ele tinha recebido o que pode ser chamado de um sério ferimento. A verdade é que ele não tinha mais cabeça; e depois de examinar em volta com todo o cuidado, não pude encontrá-la em parte alguma. Então, resolvi levá-lo assim mesmo para casa e mandar chamar os médicos homeopatas. Enquanto decidia isto, tive uma ideia súbita e abri uma janela adjacente na parede da ponte: a triste verdade surgiu imediatamente. Cerca de metro e meio acima da parte superior da roleta, cruzando toda a largura da ponte, como se suportasse as paredes ou o próprio mecanismo da borboleta, havia uma barra de ferro retangular, com a parte mais fina em posição horizontal, formando a primeira de uma série que servia para fortalecer a estrutura de ponta a ponta. Tornou-se evidente que o pescoço de meu infeliz amigo fizera um contato preciso com a parte cortante desta barra.

Ele não sobreviveu por muito tempo a tão terrível perda. Os homeopatas não lhe deram remédios suficientes; e os poucos que lhe deram, ele hesitou em tomar. Assim, finalmente, ele foi piorando e acabou morrendo, uma lição para todos os que vivem em libertinagem. Cobri seu túmulo com minhas lágrimas, acrescentei uma barra sinistra[19] ao brasão de sua família; para pagar as despesas de seu funeral, mandei uma conta bastante moderada aos esotéricos. Os patifes se recusaram a pagar a fatura e, assim, mandei desenterrar Mr. Dammit imediatamente e vendi sua carcaça para um fabricante de alimento para cães.

---

19. Uma barra voltada para a esquerda, em um escudo heráldico, considerada um sinal de bastardia. (N.T.)

Assassinatos na rua Morgue

> *Quais as canções que cantavam as Sereias ou que nome Aquiles adotou quando se escondeu entre as mulheres são questões que, embora intrigantes, não se acham além de toda a conjectura.*
> Sir Thomas Browne

As características mentais geralmente denominadas analíticas são, em si mesmas, pouco suscetíveis a uma análise. Podemos apreciá-las somente através de seus efeitos. Sabemos delas, entre outras coisas, que quando possuídas em grau incomum, sempre são, para seu possuidor, uma fonte do mais vivo prazer. Assim como o homem robusto vibra em sua força e habilidade física, dedicando-se com entusiasmo aos exercícios que põem seus músculos em ação, assim o analista se glorifica naquela atividade moral que *desembaraça e deslinda*. Encontra prazer até mesmo nas ocupações mais triviais que lhe permitam exercer seus talentos. Ama os enigmas, os paradoxos e os hieróglifos; exibe, na solução de cada mistério, um grau de *acurácia* que parece sobrenatural às pessoas de compreensão mais ordinária. Seus resultados, ainda que obtidos através da própria alma e essência do método, apresentam, de fato, todo o aspecto da intuição.

A faculdade da resolução de problemas possivelmente é muito fortalecida pelo estudo das matemáticas, especialmente pelo mais elevado de seus ramos, o qual, injustamente, apenas em função de suas operações de revisão dos fatos, vem sendo chamado de análise, como se fosse somente isso. Todavia, calcular não é o mesmo que analisar. Um enxadrista, por exemplo, calcula sempre, sem se esforçar por efetuar análises. Segue-se que o jogo de xadrez, em seus efeitos sobre o caráter mental, é em grande parte mal-compreendido. Não me disponho agora a escrever um tratado, mas estou simplesmente prefaciando uma narrativa um tanto peculiar através de observações bastante casuais; aproveitarei a ocasião, portanto, para afirmar que os poderes mais altos do intelecto reflexivo são exercitados de forma mais decidida e mais útil através do humilde jogo de damas do que pela frivolidade elaborada do xadrez. Neste último, em que as peças têm movimentos diferentes e *bizarros*, com valores os mais diversos e variados, aquilo que é somente complexo provoca o engano (um erro bastante comum) de parecer profundo. O que entra principalmente no jogo é a *atenção*. Se falhar por um momento, o jogador se distrai e comete um erro para seu prejuízo ou derrota final. Uma vez que os movimentos possíveis não somente são numerosos como labirínticos, a possibilidade de ocorrência de tais distrações é multiplicada; em nove casos em dez, o vencedor não é o jogador mais inteligente, mas sim o mais concentrado. No jogo de damas, ao contrário, em que os movimentos são sempre os *mesmos* e existe muito pouca variação, as probabilidades de um movimento inadvertido são diminuídas e a mera atenção fica relativamente fora do jogo, as vantagens obtidas por qualquer um dos parceiros são conseguidas através de maior *perspicácia*. Para sermos menos abstratos, vamos supor um jogo em que as peças sejam reduzidas a quatro damas e no qual, naturalmente, não se espere qualquer distração. É óbvio que aqui a vitória pode ser decidida (uma vez que os adversários têm peças absolutamente iguais) somente através de algum movimento muito *recherché*[20], resultado de um grande esforço intelectual. Sem possuir mais recursos do que ele, o analista se lança no espírito de seu oponente, identifica-se com ele e, com alguma frequência, observa de relance o único método (algumas vezes absurdamente simples) através do qual pode seduzi-lo a cometer um erro ou apressar-se a fazer um cálculo errado.

O jogo de *whist* vem sendo notado há muito tempo pela influência que exerce sobre o que é denominado o poder de cálculo; homens com intelectos de primeira ordem aparentemente sentem um prazer inexplicável através desta diversão, ao mesmo tempo que desprezam o xadrez por sua frivolidade. Não há dúvida que nenhum jogo de natureza semelhante exige tanto da faculdade de análise. O melhor jogador de xadrez da Cristandade *pode não ser* nada mais que o melhor enxadrista; porém a proficiência no *whist* implica uma capacidade de sucesso em todos os empreendimentos mais importantes nos quais uma mente disputa com outra. Quando uso

---

20. Pesquisado, elaborado, sofisticado. Em francês no original. (N.T.)

o termo "proficiência", indico aquela perfeição no exercício do jogo que inclui um entendimento de *todas* as fontes de que uma vantagem legítima pode ser derivada. Estas são não apenas múltiplas como multiformes, e frequentemente se encontram em recessos da mente totalmente inacessíveis para a compreensão das pessoas comuns. Observar atentamente significa lembrar distintamente; deste modo, o enxadrista concentrado vai se dar muito bem no *whist*; ao mesmo tempo que as regras de Hoyle (que se baseiam no próprio mecanismo do jogo) são em geral suficientemente compreensíveis.[21] Deste modo, a posse de uma memória retentiva e a capacidade de proceder "conforme o livro" são as qualidades geralmente consideradas suficientes para se ser um bom jogador. Mas é nas questões que vão além dos limites impostos pelas regras que se evidencia a habilidade do analista. Em silêncio, ele realiza uma série de observações e inferências. Talvez seus companheiros façam o mesmo; a diferença na quantidade de informações que assim são obtidas não se baseia tanto na validade da inferência como na qualidade da observação. O conhecimento necessário é o *do que* deve ser observado. Nosso jogador perito não estabelece limites para si próprio; nem ao menos, considerando que o jogo é o objetivo, ele rejeita deduções a partir de coisas totalmente externas ao jogo. Ele examina a fisionomia de seu parceiro de dupla e a compara cuidadosamente com os rostos de cada um de seus

---

21. Edmund Hoyle escreveu *A Short Treatise on Whist* (Um curto tratado sobre o Whist), em 1742. (N.T.)

oponentes. Ele considera o modo de classificar as cartas em cada mão; muitas vezes conta trunfo a trunfo e figura por figura, através dos olhares lançados pelos portadores uns sobre os outros. Ele nota cada variação na expressão dos semblantes à medida que o jogo se desenrola, reunindo um tesouro de pensamentos a partir das diferenças de expressão de certeza, de surpresa, de triunfo ou de derrota. A partir da maneira como é vencida uma vaza ele julga se a pessoa vencedora pode ganhar outra em seguida ou não. Ele reconhece o que é jogado para iludir o adversário através do jeito com que a carta é jogada sobre a mesa. Uma palavra casual ou inadvertida; a queda acidental ou a virada de uma carta, com a ansiedade ou desimportância associada à sua ocultação; a contagem das vazas, na ordem de seu aparecimento; o embaraço, a hesitação, a ansiedade ou a trepidação – tudo fornece à sua percepção aparentemente intuitiva indicações do verdadeiro estado do jogo. Depois que as duas ou três primeiras mãos foram jogadas, ele está em pleno controle do valor das cartas que cada jogador possui e, a partir daí, descarta as suas com uma precisão de propósito tão absoluta como se o resto dos participantes estivesse jogando a descoberto.

O poder analítico não deve ser confundido com a simples engenhosidade; porque, embora o analista seja necessariamente engenhoso, um homem de engenho muitas vezes é perceptivelmente incapaz em análise pura. O poder construtivo, ou capacidade de combinação, através do qual a engenhosidade é em geral manifesta e para o qual a frenologia (acredito que erroneamente) designou um órgão cerebral separado, supondo que seja uma qualidade primitiva, tem sido com muita frequência encontrado em pessoas cuja capacidade intelectual em outras áreas se aproxima da idiotia, um fato que já atraiu observação geral entre os escritores e os moralistas. Entre a engenhosidade e a qualidade analítica existe uma diferença muito maior, sem a menor dúvida, do que aquela existente entre a fantasia e a imaginação, porém de um caráter muito estritamente análogo. Pode ser comprovado na prática que os engenhosos são sempre fantasiosos, enquanto os *realmente* imaginativos sempre se demonstram analíticos.

A narrativa que se segue provavelmente se tornará mais clara para o leitor, se tomar em consideração os comentários e as afirmações que acabo de expor.

Quando residi em Paris durante a primavera e parte do verão de 18—, travei conhecimento com um Monsieur C. Auguste Dupin. Este jovem cavalheiro pertencia a uma excelente – de fato, ilustre – família, porém, através de uma série de eventos inesperados, havia sido reduzido a uma tal pobreza que a energia de seu caráter sucumbiu perante ela e desistiu de enfrentar o mundo ou preocupar-se em recuperar sua fortuna. Por cortesia de seus credores, permanecia em sua posse uma pequena parte de seu patrimônio; com esta renda e mantendo rigorosa economia, ele conseguia obter as necessidades básicas da vida, sem se preocupar com suas superfluidades. De fato, os livros eram seu único luxo; e, em Paris, é fácil consegui-los.

Nosso primeiro encontro foi em uma biblioteca obscura na rua Montmartre, em que o acidente de que ambos estávamos em busca do mesmo volume muito raro e notável fez com que entrássemos em contato e estabelecêssemos uma comunhão de interesses mais íntima. Encontramo-nos vezes sem conta. Eu estava profundamente interessado na pequena história de sua família que ele me detalhava com toda aquela ingenuidade que um francês demonstra quando o assunto é ele mesmo ou alguma coisa de seu interesse pessoal. Fiquei espantadíssimo, também, com a vasta extensão de suas leituras; e, acima de tudo, minha alma foi despertada pelo fervor ardente e ao mesmo tempo pela vívida originalidade de sua imaginação. Estando em Paris a fim de realizar certos objetivos que não vêm ao caso expor, senti que a sociedade de um homem assim seria um tesouro inestimável, e confiei-lhe esta impressão com toda a franqueza. Finalmente, decidimos morar na mesma casa enquanto durasse minha permanência naquela cidade; uma vez que minhas circunstâncias materiais eram um pouco menos difíceis que as dele, foi-me permitido incorrer nas despesas necessárias para alugar e mobiliar, em um estilo que agradasse à melancolia bastante fantástica de nossos temperamentos tão semelhantes, uma mansão grotesca e maltratada pelo tempo, deserta há muito tempo, devido a superstições que não nos interessaram muito e ao fato de que estava a meio caminho de desabar, localizada em uma parte remota e um tanto desolada do Faubourg St.-Germain.

Se a rotina de nossa vida neste lugar fosse conhecida do mundo, teríamos sido encarados como dois loucos – ainda que talvez nos considerassem como dois loucos mansos. Nossa reclusão era perfeita. Não recebíamos nenhum visitante. De fato, a localização de nosso retiro tinha sido mantida cuidadosamente em segredo de meus antigos amigos e associados; e já faziam muitos anos desde que Dupin tinha cessado de ter relações de amizade ou mesmo de ser conhecido em Paris. Existíamos somente para nós mesmos.

Por uma exacerbação da fantasia de meu amigo (de que mais posso chamá-la?), ele se achava enamorado da Noite, apenas pelo prazer de gozá-la; e eu mesmo recaí nesta situação *bizarra*, do mesmo modo que partilhei de todas as suas outras peculiaridades, entregando-me a seus caprichos ardentes com um perfeito *abandono*. A divindade negra não queria habitar conosco sempre, mas podíamos fingir-lhe a presença. Assim que os primeiros sinais da aurora surgiam, fechávamos todos os postigos maciços de nosso velho edifício e acendíamos alguns círios que, embora fortemente perfumados, projetavam apenas os raios de luz mais débeis e merencórios. Sob esta fraca luminosidade, ocupávamos nossas almas em sonhos – lendo, escrevendo ou conversando –, até que o relógio nos advertia da chegada da verdadeira Escuridão. Era então que saíamos às ruas, lado a lado, continuando nossa discussão dos tópicos do dia; ou simplesmente vagabundeando sem destino até alta madrugada, procurando, entre as luzes e sombras turbulentas da populosa cidade, aquele infinito de excitação mental que somente a observação tranquila pode conceder.

Era nessas ocasiões que eu não podia deixar de notar e admirar (embora já estivesse preparado, por suas afirmações variadas e inteligentes observações, a esperar por ela) uma habilidade analítica peculiar em Dupin. Ele parecia, também, ansiar por ela e extrair o maior prazer em exercitá-la – ou, talvez mais exatamente, em exibi-la – e não hesitava em confessar o prazer que experimentava. Ele se gabava, com uma risadinha baixa e discreta, de que podia ler as intenções e pensamentos da maioria dos homens, como se tivessem janelas no peito; e tinha o costume de acompanhar estas assertivas com provas diretas e bastante assombrosas do seu conhecimento íntimo de meus sentimentos. Nestes momentos, seu aspecto era frígido e abstraído; seus olhos mostravam uma expressão vazia; e sua voz, geralmente ostentando um belo timbre de tenor, subia para um trêmulo que teria parecido resultado de atrevimento e petulância se não fosse pela deliberação e completa distinção com que era enunciada. Ao observá-lo quando se achava nesta disposição, muitas vezes me recordava meditativamente da velha filosofia da alma bipartida e me divertia a fantasiar a existência de um duplo Dupin – o criativo e o investigador.

Mas não se suponha, a partir do que acabei de relatar, que estou detalhando algum mistério ou escrevendo algum romance. O que eu descobri no meu amigo francês foi meramente o resultado de uma inteligência superexcitada ou, talvez, até mesmo doentia. Mas quanto ao caráter de suas observações durante o período que está sendo descrito, um exemplo demonstrará melhor a ideia.

Uma noite, estávamos passeando por uma rua comprida e suja, nas proximidades do *Palais Royal*. Estando ambos, aparentemente, imersos em pensamentos, nenhum de nós tinha proferido uma sílaba por, no mínimo, quinze minutos. Repentinamente, Dupin proferiu estas palavras:

– Ele é um camarada muito baixinho, é verdade: serviria bem melhor para o *Théâtre des Variétés*.

– Não resta dúvida – respondi distraidamente, sem observar a princípio (por encontrar-me profundamente absorvido em reflexões) a maneira extraordinária com que meu interlocutor tinha entrado justamente no espírito de minha meditação. No instante seguinte, percebi o que havia acontecido e meu espanto foi profundo. – Dupin – disse eu, gravemente –, isto vai além de minha compreensão. Não hesito em dizer que estou assombrado e dificilmente posso acreditar na evidência de meus sentidos. Como foi possível que você soubesse que eu estava pensando em...? – fiz uma pausa neste ponto, como para me convencer além de toda dúvida de que ele realmente sabia em quem eu estivera pensando.

– Em Chantilly, naturalmente – disse ele. – Por que fez uma pausa? Você estava observando para si próprio que sua figura diminuta não era adequada para papéis trágicos.

Fora precisamente este o assunto de minhas reflexões. Chantilly tinha sido, *quondam*[22], um sapateiro remendão da rua St.-Denis que havia pego a febre do palco e fora tentado a representar o papel de Xerxes, na tragédia de mesmo nome, de Crébillon, tendo sido notoriamente satirizado por seus esforços através de panfletos anônimos.

– Explique-me, por amor de Deus – exclamei –, o método, se é que houve um método, por meio do qual você foi capaz de ler meus pensamentos dessa forma.

De fato, eu estava muito mais impressionado do que me dispunha a admitir.

– Foi o vendedor de frutas – replicou meu amigo – que o levou à conclusão de que o sapateiro-remendão não tinha altura suficiente para o papel de Xerxes *et id genus omne*.[23]

– O vendedor de frutas! Agora mesmo não entendi nada! Não conheço nenhum fruteiro!

– O homem que veio correndo em sua direção quando entramos nesta rua, deve ter sido há uns quinze minutos.

Lembrei-me então que, de fato, um vendedor de frutas, carregando na cabeça um grande cesto cheio de maçãs, quase tinha me derrubado por acidente, quando dobramos da rua C—— para a avenida em

---

22. Em um certo momento, outrora, antigamente. Em latim no original. (N.T.)
23. E todos os de seu gênero. Em latim no original. (N.T.)

que estávamos agora; mas não havia a menor possibilidade de associar esse fato a meus pensamentos sobre Chantilly. Mas Dupin não era absolutamente dado a *charlatânerie*.

– Eu vou explicar – disse ele. – Para que você possa compreender mais claramente, vamos primeiro retraçar o curso de suas meditações, desde o momento em que eu lhe falei até nosso *rencontre* com o quitandeiro que acabei de mencionar. Os elos maiores da cadeia são os seguintes; Chantilly, Órion, Dr. Nichols, Epicuro, Estereotomia, os paralelepípedos da rua e o vendedor de frutas.

Há poucas pessoas que não tenham, em determinado período de suas vidas, se divertido a tentar retraçar as etapas através das quais conclusões particulares de suas próprias mentes possam ter sido atingidas. Essa ocupação muitas vezes é cheia de interesse; e aquele que tenta realizá-la pela primeira vez pode ficar assombrado pela distância aparentemente ilimitada e incoerente entre o ponto de partida e o objetivo alcançado. Imagine-se então meu pasmo, minha estupefação ao escutar o francês emitir aquelas sentenças que recém havia pronunciado, especialmente depois que não pude deixar de reconhecer que havia falado a verdade, ponto por ponto. Ele continuou:

– Estávamos falando sobre cavalos, se me lembro corretamente, um instante antes de dobrarmos a esquina da rua C——. Foi este o último assunto que discutimos. No momento em que entramos nesta rua, um quitandeiro, com um cesto grande na cabeça, passando rapidamente por nós, empurrou-o sobre uma pilha de paralelepípedos colocada junto ao ponto em que o pavimento está sendo consertado. Você pisou em uma das pedras soltas, escorregou, distendeu levemente o tornozelo, ficou incomodado e de mau humor por alguns instantes, resmungou umas poucas palavras, voltou-se para olhar a pilha e então prosseguiu em completo silêncio. Eu não estava prestando atenção particular ao que você fazia, porém a observação vem se tornando para mim, nos últimos anos, uma espécie de necessidade, como se fosse uma segunda natureza. Bem, você continuou com os olhos fincados no chão – olhando, com uma expressão aborrecida, para os buracos e valas do pavimento (foi assim que eu percebi que ainda estava pensando nas pedras), até que chegamos àquela viela chamada *Lamartine*, que foi pavimentada, como uma experiência, com aqueles blocos que se superpõem e são rebitados uns aos outros. Aqui seu rosto se iluminou; e percebendo um certo movimento em seus lábios, não pude duvidar de que tenha pronunciado a palavra "estereotomia", um termo que estão aplicando muito afetadamente a essa espécie de pavimento. Nesse mesmo momento, eu soube que você não poderia ter dito a si próprio "estereotomia", sem ser levado a pensar na "atomia" e assim nas teorias de Epicuro;[24]

---

24. Atomia, a teoria de que o Universo é formado por pequenas partículas, foi um termo introduzido em 1591. Mas não se atribui a Epicuro. Este filósofo grego, 341-270 a. C., ensinava que o prazer era o máximo bem, referindo-se à cultura do espírito e à prática da virtude. A falsa interpretação ligou o termo à busca dos prazeres materiais. Foi Demócrito (460-370 a. C.) que considerou a matéria composta por uma infinidade de átomos, ao passo que preconizava a busca da felicidade pela moderação dos desejos. (N.T.)

e uma vez que, ao discutirmos este assunto há relativamente pouco tempo, eu lhe mencionei que de forma singular, embora não estivesse despertando muita atenção, as adivinhações vagas daquele nobre grego estavam sendo agora confirmadas pela recente cosmogonia nebular, proposta pelo dr. Nichols, senti que você não poderia evitar de erguer os olhos para a grande *nebulosa* de Órion, e fiquei esperando que você fizesse isso. De fato, você olhou; e agora eu tinha plena certeza de que tinha seguido corretamente seus passos.[25] Porém, naquela amarga crítica feita a Chantilly, que apareceu no *Musée* de ontem, o satirista fez algumas alusões desgraciosas à mudança de nome do sapateiro, depois que colocou os coturnos de um ator de tragédias e citou um verso em latim sobre o qual conversamos com frequência. Refiro-me à linha: *Perdidit antiquum litera prima sonum.*[26] Eu já lhe havia dito que esta citação referia-se a Órion, porque antigamente era escrito Úrion; devido à questão que debatemos em torno desta explicação, tinha certeza de que você não teria podido esquecê-la. Estava claro, portanto, que você não poderia deixar de combinar as ideias de Órion e Chantilly. Que você realmente as combinou, eu percebi pelo sorriso que passou por seus lábios. Você estava pensando na

---

25. Órion ou Oriente foi um caçador de grande beleza, morto por Diana e transformado na grande constelação localizada no equador celeste, que pode ser vista igualmente nos dois hemisférios. A nebulosa de Órion foi avistada pela primeira vez em 1659 e contém seis grandes estrelas encerradas em uma vasta luminosidade. (N.T.)

26. "Perdeu, desde a antiguidade, o som da primeira letra." Em latim no original. (N.T.)

imolação do pobre sapateiro. Até aquele momento, você estava andando meio cabisbaixo; mas, nesse momento, esticou-se de modo a mostrar sua plena estatura. Tive então certeza de que estava refletindo sobre a figura minúscula de Chantilly. Foi nesse ponto que interrompi suas meditações para observar que, de fato, *ele era* um sujeito muito pequeno, quero dizer, Chantilly – e que ele teria muito mais sucesso no *Théâtre des Variétés*.

Pouco tempo depois disso, estávamos olhando uma edição vespertina da *Gazette des Tribunaux*, quando o seguinte parágrafo atraiu nossa atenção:

"Extraordinários Assassinatos – Esta madrugada, por volta das três horas da manhã, os habitantes do *Quartier St.-Roch* foram acordados do sono por uma sucessão de gritos terríveis que partiam, aparentemente, do quarto andar de uma casa na rua Morgue cujas únicas moradoras conhecidas eram uma certa Madame L'Espanaye e sua filha, Mademoiselle Camille L'Espanaye. Depois de algum atraso, ocasionado pela tentativa infrutífera de obter admissão da maneira usual, o portão de entrada foi rebentado com um pé de cabra e oito ou dez dos vizinhos entraram, acompanhados por dois *gendarmes*. A essa altura, os gritos já haviam cessado; porém, enquanto o grupo corria pelo primeiro lance de escadas, duas ou mais vozes grosseiras, aparentemente discutindo furiosamente, foram distinguidas, parecendo provir da parte superior da casa. Quando o grupo chegou ao segundo patamar, também estes sons haviam cessado e tudo permanecia em perfeito silêncio. As pessoas se espalharam e correram de peça em peça. Ao chegarem a um amplo quarto na parte dos fundos do quarto andar (cuja porta foi forçada, porque estava trancada com a chave do lado de dentro), apresentou-se um espetáculo que encheu a todos os presentes não tanto de horror como de estupefação.

"O apartamento estava na mais completa desordem – o mobiliário quebrado e os pedaços jogados em todas as direções. Quase no centro do quarto havia um estrado para suportar um leito, mas a cama fora tirada de cima dele e jogada no meio do assoalho do aposento. Sobre uma cadeira, havia uma navalha manchada de sangue. Na lareira havia duas ou três mechas longas e espessas de cabelo humano grisalho, também cobertas de sangue, que pareciam ter sido arrancadas pela raiz. Em diversos locais do assoalho foram encontrados quatro napoleões,[27] um brinco de topázio, três colheres grandes de prata, três colheres menores de *métal d'Alger* e duas bolsas, contendo quase quatro mil francos em ouro. As gavetas de uma cômoda, ainda colocada em um dos cantos da sala, estavam abertas e tinham sido aparentemente revistadas, embora muitos artigos de vestuário ainda permanecessem dentro delas. Um pequeno cofre de ferro foi descoberto no chão, embaixo da *cama* (não embaixo

---

27. Moeda francesa de prata no valor de cinco francos. Mais adiante, o Metal de Argel referido é a alpaca, também chamado de Metal Branco, usado para talheres e objetos de arte. (N.T.)

do estrado), no lugar aonde esta tinha sido atirada. Estava aberto, com a chave ainda na porta. Continha apenas algumas cartas velhas e outros papéis de pouca importância.

"Não foi encontrado sinal de Madame L'Espanaye; mas tendo sido observada uma quantidade desusada de fuligem na lareira, a chaminé foi pesquisada, e o cadáver da filha (coisa horrível de se relatar!), de cabeça para baixo, foi puxado dali; tinha sido empurrado para cima, através da abertura estreita da chaminé, por uma distância considerável. O corpo ainda estava bastante quente. Quando foi examinado, encontraram-se muitas escoriações, sem dúvida ocasionadas pela violência com que foi empurrado chaminé acima e pelo esforço necessário para retirá-lo. No rosto, foram achados muitos arranhões fundos, e no pescoço, hematomas escuros, com sinais profundos de unhas, indicando que a defunta tinha sido estrangulada.

"Após uma investigação completa de cada porção da casa, sem novas descobertas, o grupo entrou em um pequeno pátio calçado, que fica na parte de trás do edifício, onde jazia o corpo da velha senhora, com a garganta cortada a tal ponto que, ao tentarem erguer o cadáver, a cabeça caiu no chão. Tanto o corpo como a cabeça estavam terrivelmente mutilados; o primeiro a um ponto que mal retinha qualquer semelhança com um corpo humano.

"Para este horrível mistério não existe ainda, segundo acreditamos, a menor pista."

O jornal do dia seguinte trazia os seguintes detalhes adicionais:

"*A tragédia da rua Morgue*. Muitos indivíduos foram examinados com relação a este caso tão extraordinário e assustador (A palavra *affaire* (caso) ainda não tinha na França esta leveza de significado que transmite a nós.), mas ainda nada transpirou que pudesse lançar alguma luz sobre ele. Transcrevemos abaixo todos os testemunhos materiais obtidos.

"*Pauline Dubourg*, lavadeira, depôs que conhece ambas as falecidas há três anos, período em que lavou-lhes as roupas. A velha senhora e sua filha pareciam manter muito boas relações e serem muito afeiçoadas uma à outra. Pagavam com regularidade. Não podia dizer qual era sua renda ou meio de sustento. Achava que Madame L'Espanaye ganhava a vida como cartomante. Segundo diziam, tinha dinheiro guardado. Nunca encontrou qualquer pessoa de fora quando ia buscar as roupas para lavar ou as trazia de volta à casa. Tinha certeza de que não tinham empregadas. Parece que não havia mobília em qualquer parte do edifício, exceto no quarto andar.

"*Pierre Moreau*, vendedor de cigarros e de fumo, depõe que habitualmente vendia pequenas quantidades de tabaco e de rapé a Madame L'Espanaye e que a atendia há uns quatro anos. Tinha nascido no bairro e sempre residira por lá. A falecida e sua filha moravam há mais de seis anos na casa em que os cadáveres tinham sido encontrados. Anteriormente, fora ocupada por um joalheiro, que sublocava os andares superiores para várias pessoas. A casa era de propriedade de Madame L'Espanaye. Ela ficou descontente com a maneira como o imóvel era maltratado pelo seu inquilino e mudou-se para lá, recusando-se a alugar quaisquer aposentos. A velha senhora tinha um comportamento meio infantil. A testemunha tinha avistado a filha umas cinco ou seis vezes no decorrer daqueles seis anos. As duas viviam uma vida muito retraída – o povo dizia que tinham dinheiro. Também tinha ouvido alguns dos vizinhos comentarem que Madame L'Espanaye lia o futuro das pessoas – mas não acreditava nisso. Mesmo porque nunca tinha visto ninguém entrar na casa, exceto a velha senhora e sua filha, um carregador uma vez ou duas e um médico, umas oito ou dez vezes.

"Muitas outras pessoas, na maioria vizinhos, apresentaram evidências no mesmo sentido. Não se falou de ninguém que frequentasse a casa. Não se sabia se Madame L'Espanaye e sua filha tinham parentes vivos. Os postigos das janelas da frente raramente eram abertos. Os postigos do fundo permaneciam sempre fechados, com a exceção daqueles de uma grande sala dos fundos do quarto andar. A casa era boa e sólida – não era muito antiga.

"*Isidore Musèt*, gendarme, depõe que foi chamado à casa por volta das três da manhã e encontrou umas vinte ou trinta pessoas diante do portão, esforçando-se para entrar. Finalmente forçou a porta com uma baioneta – não foi com um pé de cabra. Teve pouca dificuldade para abrir, porque era um portão de duas folhas e não estava trancado nem em cima nem embaixo. Os gritos continuavam enquanto o portão estava sendo arrombado – mas cessaram subitamente. Pareciam os gritos de uma pessoa (ou pessoas) em grande agonia – eram altos e prolongados, não eram curtos e rápidos. A testemunha subiu as escadas à frente de todos. Quando chegou ao primeiro patamar, escutou duas vozes discutindo alta e furiosamente – uma das vozes era rouca e zangada, a outra muito mais aguda – uma voz muito estranha. Conseguiu distinguir algumas das palavras emitidas pela primeira voz, que era de um francês. Tinha certeza de que não era uma voz de mulher. Tinha distinguido as palavras *sacré* e *diable*. A voz mais aguda era de um estrangeiro. Não tinha certeza se era uma voz de homem ou de mulher. Não havia entendido nada do que dissera, mas acreditava que falava em espanhol. O estado do apartamento e dos corpos foi descrito pela testemunha conforme relatamos ontem.

"*Henri Duval*, um vizinho, fabricante de objetos de prata, depõe que participava do primeiro grupo que entrou na casa. Em geral, corrobora o testemunho de Musèt. Logo depois que forçaram a porta, fecharam-na por dentro, para impedir a entrada da multidão, que se reuniu muito depressa, não obstante o adiantado da hora. A voz aguda, segundo pensa esta testemunha, era de um italiano. Tem certeza de que não era de um francês. Não tinha certeza se era voz de homem. Poderia ser de mulher. A testemunha não sabia falar a língua italiana. Não pôde distinguir as palavras, mas pela entonação estava convencido de que a pessoa falava em italiano. Conhecera Madame L'Espanaye e sua filha. Tinha conversado muitas vezes com ambas. Tinha certeza de que a voz aguda não pertencia a nenhuma das falecidas.

"—— *Odenheimer*, proprietário de um restaurante. A testemunha apresentou-se voluntariamente para testemunhar. Como não falava francês, foi examinada por meio de um intérprete. É nascida em Amsterdam. Estava passando pela casa por ocasião dos gritos. Duraram por vários minutos – provavelmente dez. Eram longos e altos, muito terríveis e apavorantes. Foi um dos que entrou no edifício. Corroborou a evidência prévia em todos os respeitos, exceto um. Tem certeza de que a voz mais aguda era de um homem e que este era francês. Não conseguiu entender as palavras proferidas. Eram altas e rápidas, desiguais, emitidas aparentemente tanto com medo quanto com raiva. A voz era áspera, muito mais áspera do que aguda. Não poderia realmente classificá-la como aguda. A voz mais grossa disse repetidamente *sacré*, *diable* e uma única vez, *mon Dieu*.[28]

"*Jules Mignaud*, banqueiro, da firma *Mignaud et Fils*, sediada na rua Deloraine. É o sócio mais velho da firma. Madame L'Espanaye tinha algumas propriedades. Tinha aberto uma conta em sua casa bancária na primavera do ano de **** (oito anos an-

---
28. "Sagrado" (no sentido blasfemo de "maldito"), "diabo" e "meu Deus". Em francês no original. (N.T.)

tes). Fazia frequentes depósitos de pequenas somas. Nunca havia sacado nada até o terceiro dia antes de sua morte, quando retirou pessoalmente a soma de 4.000 francos. Esta soma foi paga em moedas de ouro e um amanuense a acompanhou até em casa com o dinheiro.

"*Adolphe Le Bon*, amanuense da firma *Mignaud et Fils*, depõe que, no dia em questão, por volta do meio-dia, acompanhou Madame L'Espanaye até sua residência com os 4.000 francos guardados em duas bolsas. Assim que a porta foi aberta, Mademoiselle L'Espanaye apareceu e tomou de suas mãos uma das bolsas, enquanto a velha senhora segurava a outra. Ele então cumprimentou-as com uma curvatura e saiu. Não viu nenhuma pessoa na rua nessa ocasião. É uma rua lateral, solitária e muito pouco trafegada.

"*William Bird*, alfaiate, depõe que era uma das pessoas que entraram na casa. É de nacionalidade inglesa. Mora em Paris há dois anos. Foi um dos primeiros a subir as escadas. Escutou as vozes em discussão. A voz grave e zangada era de um francês. Entendeu várias palavras, mas não lembra mais de todas. Escutou distintamente *sacré* e *mon Dieu*. Por um momento, escutou um som que parecia o de várias pessoas lutando, como se o chão estivesse sendo arranhado e pisoteado. A voz aguda era muito alta, bem mais alta que a voz grave. Tem certeza de que não era a voz de um inglês. Parecia mais ser a voz de um alemão. Poderia ser uma voz de mulher. A testemunha não fala alemão.

"Quatro das testemunhas acima, tendo sido reconvocadas, depuseram que a porta do quarto em que foi encontrado o corpo de Mademoiselle L'Espanaye estava trancada por dentro quando o grupo chegou até lá. Tudo se encontrava agora em perfeito silêncio – não havia gemidos, nem ruídos de qualquer tipo. Ao forçarem a porta, não viram ninguém. As janelas, tanto da sala da frente como do quarto dos fundos, estavam com os postigos fechados e firmemente trancadas por dentro. Uma porta entre as duas peças estava fechada, porém não trancada. A porta que dava da sala da frente para o corredor de acesso estava trancada, com a chave do lado de dentro. Uma pequena peça na parte da frente da casa, no quarto andar e junto às escadas, estava aberta, com a porta escancarada. Esta peça estava atopetada de camas velhas, caixas e coisas assim. Todos os objetos foram cuidadosamente removidos e examinados. Não houve uma polegada em qualquer lugar da casa que não fosse objeto de uma pesquisa cuidadosa. Limpa-chaminés foram feitos subir e descer pelas chaminés. A casa tinha quatro andares, com águas-furtadas (*mansardes*). Um alçapão no forro tinha sido pregado com toda a segurança; não dava a impressão de ter sido aberto durante anos. O tempo decorrido entre o som das vozes discutindo e o arrombamento da porta da sala foi declarado de maneiras variadas pelas testemunhas. Alguns declararam que se haviam passado uns três minutos, outros chegaram a cinco. A porta foi aberta com muita dificuldade.

"*Alfonzo Garcio*, agente funerário, depõe que reside na rua Morgue. É de naturalidade espanhola. Pertencia ao grupo que entrou na casa. Mas não subiu escadas acima. É um homem nervoso e estava apreensivo com relação às possíveis consequências da agitação. Escutou as vozes discutindo. A voz mais grave era de alguém falando em francês. Não pôde compreender o que estava sendo dito. A voz aguda pertencia a alguém falando em inglês. Neste ponto, tem certeza absoluta. Não fala o idioma inglês, mas julga pela entonação.

"*Alberto Montani*, confeiteiro, depõe que se achava entre os primeiros que subiram as escadas. Escutou as vozes mencionadas. A voz grave e violenta falava em francês. Conseguiu perceber diversas palavras. A pessoa que falava parecia estar repreendendo. Não conseguiu entender as palavras proferidas pela voz aguda. Falava rápido e de maneira desparelha. Mas acha que as palavras eram em russo. Corrobora o testemunho geral. É italiano. Nunca conversou com um natural da Rússia.

"Diversas testemunhas, ao serem reconvocadas, testemunharam que as chaminés de todas as peças do quarto andar eram estreitas demais para admitir a passagem de um ser humano. Por "limpa-chaminés" queriam dizer escovas cilíndricas de limpeza, do tipo que são empregadas por aqueles que limpam chaminés para retirar o acúmulo de fuligem. Estes escovões foram passados para cima e para baixo de cada saída de lareira e de cada cano de ventilação existente na casa. Não existe uma porta dos fundos pela qual alguém pudesse haver descido enquanto os salvadores subiam as escadas. O corpo de Mademoiselle L'Espanaye estava tão firmemente entalado na chaminé que não pôde ser descido até que cinco ou seis pessoas unissem suas forças para puxá-lo.

"*Paul Dumas*, médico, depõe que foi chamado para examinar os corpos mais ou menos quando o dia clareava. Nessa ocasião, ambos estavam deitados sobre a cobertura de estopa do estrado da cama, no mesmo quarto em que Mademoiselle L'Espanaye fora encontrada. O cadáver da jovem estava muito machucado e arranhado. O fato de ter sido empurrado chaminé acima poderia perfeitamente causar essa aparência. A garganta estava muito machucada. Havia diversos arranhões profundos logo abaixo do queixo, juntamente com uma série de marcas lívidas que eram, evidentemente, as impressões deixadas por dedos. O rosto estava arroxeado de uma forma apavorante e os olhos saltavam das órbitas. A língua tinha sido parcialmente mordida. Um grande hematoma foi descoberto sobre o estômago, produzido, aparentemente, pela pressão de um joelho. Na opinião de M. Dumas,[29] Mademoiselle L'Espanaye tinha sido estrangulada até morrer por uma pessoa ou pessoas desconhecidas. O cadáver da mãe estava horrivelmente mutilado. Todos os ossos da perna e do braço direitos estavam mais ou menos esmagados. A tíbia esquerda tinha sido partida em mais de um lugar, do mesmo modo que todas as costelas do

---

29. A inicial "M" que aparece no texto várias vezes antes de sobrenomes franceses é simplesmente abreviatura de "Monsieur". (N.T.)

lado esquerdo. O corpo inteiro estava terrivelmente marcado e arroxeado. Não era possível afirmar como os ferimentos haviam sido infligidos. Um porrete pesado de madeira ou uma barra larga de ferro, uma cadeira, qualquer arma grande, pesada e contundente teria produzido tais resultados, se fosse brandida pelas mãos de um homem muito robusto. Nenhuma mulher poderia ter desferido aquele tipo de golpe com qualquer arma. A cabeça da falecida, quando foi vista pela testemunha, estava inteiramente separada do corpo e os ossos também se achavam em grande parte esmagados. A garganta havia sido evidentemente cortada com algum instrumento muito afiado – provavelmente uma navalha.

"*Alexandre Etienne*, cirurgião, foi convocado com M. Dumas para examinar os corpos. Corroborou o testemunho e as opiniões de M. Dumas.

"Nada mais de importância foi descoberto, embora diversas outras pessoas fossem interrogadas. Um assassinato tão misterioso e intrigante em todos os seus detalhes jamais foi cometido antes em Paris, se é que realmente houve um assassinato. A polícia está inteiramente confusa, uma ocorrência pouco comum em casos desta natureza. Não há, entretanto, a sombra de uma pista."

A edição vespertina do jornal declarava que a maior excitação ainda perdurava no *Quartier St.-Roch*, que os aposentos do prédio tinham sido novamente examinados e novos exames das testemunhas realizados, tudo sem o menor resultado. Um pós-escrito, entretanto, mencionava que Adolphe Le Bon tinha sido preso e encarcerado, embora nada parecesse incriminá-lo, além dos fatos que já foram detalhados.

Dupin pareceu-me singularmente interessado no progresso das investigações, ou pelo menos foi o que julguei a partir de suas ações, porque não fez o menor comentário. Foi somente depois que a prisão de Le Bon foi anunciada que ele pediu minha opinião sobre os assassinatos.

Eu somente podia concordar com toda Paris ao considerá-los um mistério insolúvel. Não via maneira através da qual fosse possível identificar o assassino.

– Não podemos julgar os meios – disse Dupin – a partir de um exame tão superficial. A polícia parisiense, que é tão exaltada por sua *argúcia*, é esperta, mas nada mais do que isto. Não existe método em seus procedimentos, além do método sugerido pela inspiração do momento. Desfilam uma série de medidas tomadas a fim de satisfazer ao público; mas não é infrequente que estas sejam tão mal adaptadas ao objetivo proposto, que nos recordam a frase famosa de Monsieur Jourdain, que mandou buscar seu *robe-de-chambre – pour mieux entendre la musique*.[30] Os resultados que eles obtêm não deixam de surpreender com uma certa frequência, mas na maior parte são obtidos por simples diligência

---

30. M. Jourdain é o principal personagem de *O burguês gentilhomem* de Molière (Jean-Baptiste Poquelin, 1622-1673), negociante enriquecido que se demonstra cada vez mais ridículo em seu desejo de elevar-se socialmente. Na cena em questão, ele manda buscar seu roupão "para escutar melhor a música". (N.T.)

e grande atividade. Quando faltam estas atividades, seus esquemas falham. Vidocq, por exemplo,[31] além de saber adivinhar, era um homem perseverante. Porém, desprovido de um pensamento educado, ele errava continuamente pela própria intensidade de suas investigações. Prejudicava a própria visão por segurar os objetos perto demais. Podia ver assim, quem sabe, um ou dois pontos com clareza extraordinária, mas seu procedimento o levava necessariamente a perder a visão do conjunto. Porque existe uma coisa que podemos chamar de excesso de profundidade. A verdade não se encontra sempre no fundo de um poço. De fato, no que se refere aos conhecimentos mais importantes, acredito que seja invariavelmente superficial. A profundidade acha-se nos vales em que a buscamos e não no topo das montanhas, onde a verdade é encontrada. Os modos e fontes deste tipo de erro são bem tipificados pela contemplação dos corpos celestiais. Olhar uma estrela de relance, observá-la pelo canto dos olhos, voltando para ela as porções laterais da retina (mais suscetível às fracas sensações luminosas que a parte central) significa percebê-la distintamente – é assim que apreciamos melhor o seu brilho – um brilho que vai se enfraquecendo na proporção em que voltamos a visão *diretamente* sobre ele. De fato, um número maior de raios cai sobre o olho neste último caso, porém, no anterior, existe a capacidade de compreensão mais refinada. Através de um excesso de profundidade,

---

31. François Vidocq, 1775-1857, ex-condenado a trabalhos forçados, chegou a ser chefe de polícia de Paris. Suas *Memórias* inspiraram o personagem Vautrin, de Honoré de Balzac, 1799-1850. (N.T.)

enfraquecemos o pensamento e o deixamos perplexo; é possível fazer até mesmo Vênus desaparecer do firmamento através de um escrutínio demorado demais, excessivamente concentrado ou direto em demasia.

"Quanto a estes assassinatos, vamos fazer alguns exames nós mesmos, antes de formar nossa opinião com respeito a eles. Nosso pequeno inquérito nos dará algum divertimento (achei que o termo estava sendo aplicado de maneira muito exótica, mas não disse nada) e, além disso, uma vez Le Bon me prestou um pequeno serviço, pelo qual ainda sou grato. Vamos visitar os aposentos e observá-los com nossos próprios olhos. Conheço G——, o chefe de polícia, e não terei dificuldade em obter a necessária permissão.

Obtida esta, fomos imediatamente à rua Morgue. Era uma dessas ruelas miseráveis que ficam entre a rua Richelieu e a rua St.-Roch. Já era o final da tarde quando chegamos lá, porque este bairro fica a grande distância daquele em que residíamos. A casa foi encontrada prontamente: ainda havia muitas pessoas olhando para os postigos cerrados com uma curiosidade sem objetivo, paradas no outro lado da rua. Era uma casa parisiense comum, com um portão; em um de seus lados, havia um observatório de vidro, uma caixa quadrada com uma janelinha e um painel corrediço, indicando um *loge de concierge*.[32] Antes de ingressarmos no prédio, subimos a rua, dobramos a esquina em um beco, dobramos novamente e

---

32. Alojamento de porteiro. Em francês no original. (N.T.)

passamos por trás do edifício. Enquanto isso, Dupin examinava toda a vizinhança, tanto quanto a casa, com uma minuciosidade cujo motivo eu não podia discernir.

Retornando sobre nossos passos, chegamos novamente à frente da residência, tocamos a campainha e, tendo apresentado nossas credenciais, fomos admitidos pelos agentes de polícia que estavam de guarda. Subimos as escadas e entramos na sala em que o corpo de Mademoiselle L'Espanaye tinha sido encontrado e no qual ainda jaziam ambas as defuntas. A desordem da sala tinha sido deixada conforme se achava, de acordo com o costume. Não vi nada que não tivesse sido detalhado na *Gazette des Tribunaux*. Dupin escrutinou cada canto da sala, sem excetuar os corpos das vítimas. Passamos então às outras peças e depois ao pátio, acompanhados o tempo todo por um gendarme. O exame ocupou-nos até ficar escuro, o que nos fez ir embora. Em nosso caminho para casa, meu companheiro parou por um momento no escritório de um dos jornais diários.

Já comentei antes que os caprichos de meu amigo eram numerosos e que *je les ménageais* – para esta frase não há um equivalente em inglês.[33] Sua disposição presente era a de evitar qualquer conversação referente aos assassinatos e assim permaneceu até mais ou menos o meio-dia seguinte. Então indagou-me, subitamente, se eu havia observado alguma coisa *peculiar* na cena da atrocidade. Havia alguma

---

33. Eu os administrava (ou seja, aceitava e me adaptava a eles). Em francês no original. (N.T.)

coisa na maneira como enfatizou a palavra "peculiar" que me fez estremecer, sem saber por quê.

– Não, nada de *peculiar* – disse eu. – Pelo menos, não vi nada que nós dois já não tenhamos lido nas reportagens do jornal.

– A *Gazette* – replicou ele – não entrou em detalhes, segundo eu temo, sobre o horror incomum dessa coisa. Mas descarte as opiniões casuais que foram impressas. Segundo me parece, esse mistério é considerado insolúvel, pela própria razão pela qual se deveria considerá-lo como muito simples. Quero dizer, o caráter *outré* de suas peculiaridades.[34] A polícia está confusa pela aparente ausência de motivo; não pelo próprio assassinato, mas pela atrocidade envolvida na matança. Também estão atarantados pela impossibilidade aparente de reconciliar as vozes que foram ouvidas discutindo com o fato de que ninguém foi encontrado no andar superior, salvo a assassinada Mademoiselle L'Espanaye, do mesmo modo que não havia um meio de saída aparente que não pudesse ser percebido pelo grupo que subia as escadas. A desordem espantosa da sala, o cadáver empurrado, com a cabeça para baixo, pelo cano da chaminé, as terríveis mutilações sofridas pelo corpo da velha senhora; estas considerações, tomadas em conjunto com as que mencionei antes e outras que não necessitam serem citadas, foram suficientes para paralisar as autoridades, demonstrando a completa inexistência da *perspicácia* atribuída aos agentes do governo. Caíram todos no erro comum e

---

34. Exagerado, excessivo, bizarro. Em francês no original. (N.T.)

grosseiro de confundir o incomum com o abstruso. Mas é justamente através destes desvios do plano ordinário que a razão se conduz, se é que existe algum caminho, em sua busca da verdade. Em investigações como esta que estamos agora realizando, não se deve tanto perguntar "o que ocorreu", como "o que ocorreu que nunca havia ocorrido antes". De fato, a facilidade com que chegarei – ou já cheguei – à solução deste mistério está em razão direta de sua aparente insolubilidade aos olhos da polícia.

Fiquei olhando para meu interlocutor, tomado de um espanto mudo.

– Agora estou esperando – continuou ele, olhando para a porta de nossa casa. – Estou esperando por uma pessoa que, embora talvez não tenha sido o perpetrador desse massacre, está, até certo ponto, implicada em sua perpetração. Provavelmente é inocente da parte pior dos crimes cometidos. Espero estar certo nesta suposição, porque é sobre ela que construí minhas esperanças de resolver o enigma inteiro. Estou esperando que o homem chegue aqui – a esta sala – a qualquer momento. É verdade que ele pode não vir, mas a probabilidade é de que virá. Se ele vier, será necessário detê-lo. Temos aqui estas pistolas, e nós dois sabemos como usá-las quando a ocasião se apresenta.

Peguei as pistolas sem saber exatamente por que e tampouco sem acreditar muito no que ouvia, enquanto Dupin prosseguia, quase como se recitasse um monólogo. Já falei anteriormente de seu comportamento abstraído nesses momentos. Seu discurso me estava sendo dirigido; mas sua voz, embora não estivesse absolutamente alta, apresentava aquela entonação que em geral é empregada quando se fala a alguém que se encontra a uma boa distância. Seus olhos contemplavam somente a parede, tomados de uma expressão vazia.

– A evidência dos testemunhos demonstrou totalmente – disse ele – que as vozes que estavam discutindo e foram escutadas pelas pessoas que subiam as escadas não eram as vozes das mulheres assassinadas. Isso nos exime totalmente de qualquer dúvida no sentido de que a velha senhora pudesse ter matado primeiro a própria filha e depois cometido suicídio. Menciono este ponto unicamente por uma questão de método, porque a força de Madame L'Espanaye teria sido totalmente inadequada para a tarefa de empurrar o cadáver de sua filha chaminé acima, como foi encontrado. Igualmente a natureza das feridas encontradas em seu próprio corpo inteiramente afastam a ideia de autodestruição. O morticínio foi então cometido por terceiros, e as vozes destes terceiros foram as que escutaram brigando. Deixe-me agora preveni-lo, não contra o testemunho inteiro no que respeita a essas vozes, mas quanto ao que era *peculiar* neste testemunho. Você observou alguma coisa particularmente estranha nele?

Observei que, ao passo que todas as testemunhas concordavam em supor que a voz grave fosse a de um francês, havia muita dissensão no que se referia à voz aguda, ou, como a denominou um dos indivíduos, a voz áspera.

– Essa foi a evidência apresentada – disse Dupin. – Mas não foi essa a peculiaridade da evidência. Você não observou nada que lhe chamasse a atenção. Todavia, existia uma coisa que deveria ser observada. As testemunhas, como você declarou, concordaram a respeito da voz grave; aqui houve unanimidade. Mas com relação à voz aguda, a peculiaridade é a seguinte: de fato eles não discordaram, mas enquanto um italiano, um inglês, um espanhol, um holandês e um francês tentaram descrevê-la, cada um referiu-se a ela como sendo a voz *de um estrangeiro*. Cada um deles tinha certeza de que a voz não era de algum compatriota seu. Cada um deles a descreve, não como a voz de um indivíduo de qualquer nação em cuja linguagem seja fluente, mas justamente o oposto. O francês supôs que era a voz de um espanhol e declarou que "poderia ter distinguido algumas palavras *se soubesse falar espanhol*; o holandês mantém que a voz falava francês, mas foi declarado que *"como não falava francês, esta testemunha foi examinada através de um intérprete"*. O inglês achava que era a voz de um alemão, mas *não entende alemão*. O espanhol "tem certeza" de que é a voz de um inglês, mas "julga totalmente pela entonação", *porque não tem conhecimento do inglês"*. O italiano acredita ser a voz de um russo, porém *"nunca conversou com um natural da Rússia"*. Além disso, um segundo francês discorda do primeiro e afirma positivamente que a voz falava em italiano, porém, *"não sendo conhecedor dessa língua"*, convence-se, assim como o espanhol, "devido à entonação". Agora, vejamos, como essa voz deve ser estranhamente incomum para que todas as testemunhas *pudessem tê-la descrito dessa forma*! Uma voz *em cujos tons* cidadãos de cinco das grandes divisões da Europa não podiam reconhecer nada de familiar! Você dirá que poderia ser a voz de um asiático, ou talvez de um africano. Nem asiáticos, nem africanos são abundantes em Paris; porém, sem negar esta inferência, chamarei agora sua atenção para três pontos. A voz é descrita por uma testemunha como sendo "mais áspera do que aguda". É apresentada por duas outras como sendo "áspera e *desigual*". E nenhuma palavra – nenhum som que lembrasse palavras – foi mencionado como tendo sido compreendido por qualquer das testemunhas.

Dupin continuou:

– Não sei que impressão posso ter causado, por enquanto, sobre seu próprio entendimento, mas não hesito em dizer que deduções legítimas obtidas até mesmo dessa pequena parte do testemunho – a porção que se refere às vozes grave e aguda – são em si mesmas suficientes para engendrar uma suspeita que deve orientar todo o progresso futuro na investigação desse mistério. Falei em "deduções legítimas", mas o que quero dizer não está perfeitamente expressado. Pretendo implicar que essas deduções são as *únicas* adequadas; e que a suspeita surge *inevitavelmente* delas como o único resultado possível. Que suspeita é, entretanto, não direi de imediato. Meramente desejo que você conserve em mente que, para mim, foi uma suspeita forte o bastante para dar uma forma definida – uma tendência certa – para as investigações que fiz naquela sala. Vamos nos transportar em fantasia para aquele aposento. O que vamos procurar aqui em primeiro lugar? Naturalmente o meio de saída empregado pelos assassinos. Não é necessário dizer que nenhum de nós acredita em eventos sobrenaturais. Madame e Mademoiselle L'Espanaye não foram destruídas por espíritos. Os agentes do morticínio eram materiais e escaparam de forma material. Mas como? Felizmente, há somente uma maneira de raciocinar sobre este ponto, e esta maneira *deve* nos conduzir a uma decisão definida. Vamos examinar, um a um, os possíveis meios de escape. Está claro que os assassinos se achavam na sala em que Mademoiselle L'Espanaye foi encontrada, ou pelo menos no aposento adjacente, durante o espaço de tempo em que o grupo de salvadores subia as escadas. Deste modo, só precisamos procurar saídas destas duas peças. A polícia examinou minuciosamente os assoalhos, os forros e até mesmo o reboco das paredes, em todas as direções possíveis. Nenhuma *saída* secreta poderia escapar à sua vigilância. Porém, uma vez que eu não confiava nos olhos *deles*, fui examinar com os meus. E determinei, para minha própria satisfação, que *não existia* qualquer saída secreta. As duas portas que levavam das salas à passagem de acesso estavam trancadas com segurança e as chaves estavam do lado de dentro. Vamos olhar as chaminés. Estas, embora sejam da largura ordinária por uns dois metros e meio ou três metros acima das lareiras, não podem admitir, ao longo de todo o seu comprimento, sequer o corpo de um gato grande. Uma vez que a impossibilidade de fuga pelos meios já descritos é absoluta, restam somente as janelas. Ninguém poderia ter escapado através das janelas da sala dianteira sem ser percebido pela multidão que se havia aglomerado na rua. Os assassinos, deste modo, *devem* ter passado pelas janelas do quarto dos fundos. Agora que fomos trazidos a esta conclusão de uma forma tão inequívoca, não é nosso papel, como homens de raciocínio, rejeitá-la em virtude de sua aparente impossibilidade. O que nos resta é provar que estas "impossibilidades" aparentes, na realidade, são possíveis.

"Há duas janelas nessa peça. Uma delas não está obstruída pelo mobiliário e se acha inteiramente visível. A parte inferior da outra está escondida da vista pela parte superior daquele pesado estrado, que foi instalado bem perto dela. Quando a janela foi encontrada, estava perfeitamente trancada por dentro. Resistiu ao máximo à força daqueles que tentaram levantar a parte superior da guilhotina. Um grande buraco de verruma havia sido aberto na parte esquerda da armação e um prego muito grosso e forte fora introduzido nele, próximo à cabeceira da cama. Ao examinar a segunda janela, a polícia encontrou um prego semelhante encaixado da mesma maneira; uma vigorosa tentativa de erguer a parte superior desta janela de guilhotina também falhou. A polícia ficou agora totalmente convencida de que não teria sido possível sair através delas. E, *portanto*, acharam totalmente desnecessário remover os pregos e abrir as janelas.

"Meu próprio exame foi um tanto mais particular, pela própria razão que mencionei faz pouco – porque eu sabia que era aqui que todas as aparentes impossibilidades *deveriam* ser demonstradas como realmente possíveis. Prossegui pensando deste modo – *a posteriori*. Os assassinos *realmente* escaparam através de uma destas janelas. Sendo assim, não poderiam ter trancado os postigos por dentro, como foram encontrados – foi esta a consideração que interrompeu, por ser tão óbvia, o escrutínio da polícia nesta direção. De fato, os postigos *estavam* trancados. Eles *deveriam*, então, ser capazes de se trancarem sozinhos. Não havia como escapar a esta conclusão. Fui até a janela que não estava obstruída, retirei o prego com alguma dificuldade e tentei novamente erguer a parte superior. Esta resistiu a todos os meus esforços, como eu já havia antecipado. Agora eu sabia que deveria existir uma mola oculta; e esta corroboração de minha ideia me convenceu de que minhas premissas, pelo menos, estavam corretas, por mais misteriosas parecessem as circunstâncias ligadas aos pregos. Uma busca cuidadosa logo me mostrou a mola escondida. Apertei-a e, satisfeito com a descoberta, abstive-me de erguer a janela.

Então recoloquei o prego e contemplei-o com atenção. Uma pessoa que atravessasse esta janela, poderia ter fechado novamente a parte superior e a mola teria trancado o conjunto – mas o prego não poderia ter sido recolocado. A conclusão era simples e novamente estreitava o campo de minhas investigações. Os assassinos *deveriam* ter escapado através da outra janela. Supondo então que as molas em cada caixilho eram iguais, como era provável, *tinha de ser encontrada* uma diferença entre os pregos, ou pelos menos uma diferença na maneira segundo a qual tinham sido afixados. Subindo na enxerga do estrado, olhei minuciosamente através da cabeceira para a segunda janela. Passando minha mão por trás da tábua, rapidamente descobri e apertei a mola, que era, como eu havia suposto, idêntica em confecção à sua vizinha. Olhei agora para o prego. Parecia tão forte como o outro e aparentemente tinha sido afixado da mesma maneira – martelado quase até a cabeça.

"Você poderá dizer que fiquei confuso, mas, se pensar assim, é porque não entendeu a natureza de minhas induções. Para usar uma expressão esportiva, eu não tinha "cometido nenhuma falta". Não havia perdido a pista nem por um instante. Não havia falha em nenhum elo de minha cadeia de raciocínio. Tinha retraçado o segredo até seu derradeiro resultado – e esse resultado era o *prego*. Devo dizer que apresentava, sob todos os aspectos, a mesma aparência de seu companheiro que estava cravado na outra janela. Mas este fato era absolutamente nulo (por mais conclusivo que parecesse) quando comparado com a consideração de que, justamente neste ponto, terminava a pista. "*Deve* haver alguma coisa errada" – pensei eu – "com esse prego". Segurei-o; e a cabeça, com mais ou menos um centímetro da haste, saiu entre meus dedos. O resto da haste permaneceu no buraco da verruma, dentro do qual havia sido quebrada. A fratura era muito antiga (porque as beiradas já estavam incrustadas de ferrugem) e aparentemente tinha sido provocada por um golpe de martelo, que tinha parcialmente embutido na parte de cima da porção móvel da guilhotina a parte do prego que ficava junto à cabeça. Cuidadosamente recoloquei a porção da cabeça dentro da indentação de que a havia retirado e a semelhança com um prego inteiro continuava completa – o lugar em que estava quebrado era perfeitamente invisível. Apertando a mola, gentilmente levantei a janela por alguns centímetros; a cabeça do prego subiu com o caixilho, permanecendo afixada em seu buraco. Fechei novamente a janela e a aparência do prego era outra vez perfeita.

"Até este ponto, já havia decifrado a adivinhação. O assassino tinha escapado através da janela que ficava por cima da cama. Tendo caído sozinha depois que fora atravessada (ou talvez tendo sido fechada por fora de propósito) havia sido trancada pela mola; era a retenção desta mola que havia sido confundida pela polícia como produzida pelo prego – e não acreditaram ser necessário inquirir mais nada com relação às janelas.

"A questão que se apresentou a seguir foi o modo de descida. Quanto a este ponto, eu já havia satisfeito minha curiosidade quando caminhei com você ao redor do edifício. A mais ou menos um metro e setenta da janela mencionada foi instalado um para-raios. Partindo desta vara de metal, teria sido impossível para uma pessoa atingir a própria janela, muito menos entrar por ela. Observei, todavia, que os postigos do quarto andar eram de um tipo particular que os carpinteiros parisienses chamam de *ferrades* – um tipo raramente empregado hoje em dia, mas frequentemente visto em mansões muito antigas em Lyons e Bordeaux. Têm o formato de uma porta comum (de folha única, não dupla), exceto que a parte superior é treliçada, ou seja, formada por uma rede de ripas cruzadas, deixando entre si espaços em forma de losangos, o que permite um excelente apoio para as mãos. No caso presente, estes postigos têm mais de um metro de largura. Quando nós os observamos, olhando da parte traseira da casa, vimos que ambos estavam semiabertos, isto é, encontravam-se em ângulos retos com a parede. É provável que a polícia tenha examinado o prédio por trás, do mesmo jeito que eu; mas, se o fizeram, ao olharem para esses *ferrades*, viram os postigos ao longo da espessura (que era o que estava voltado para fora) e não perceberam seu grande comprimento; ou, mesmo que tenham percebido, não o tomaram na devida consideração. De fato, uma vez que desde o começo tinham certeza de que ninguém poderia ter saído pelas janelas, naturalmente o exame externo foi apenas perfunctório. Para mim, entretanto, estava claro que o postigo pertencente à janela que ficava por cima da cama, se fosse aberto em toda a sua extensão e colocado junto à parede, chegaria a um meio metro do para-raios. Era também evidente que, desde que a pessoa em questão tivesse um grau bastante elevado de agilidade e coragem, poderia ter entrado pela janela subindo pela vara de metal e passando através do postigo. Cruzando uma distância de mais ou menos setenta e cinco centímetros (supondo que o postigo estivesse inteiramente aberto), um ladrão poderia agarrar-se firmemente à treliça. Soltando-se então da vara de metal do para-raios, colocando os pés firmemente contra a parede e dando um impulso firme com eles, ele poderia balançar o postigo de modo a fechá-lo; e, se imaginarmos que a janela estivesse aberta nessa ocasião, poderia lançar-se para dentro do quarto pelo mesmo impulso.

"Quero que você mantenha especialmente em seu raciocínio que estou falando de um grau *muito* incomum de habilidade como um pré-requisito para o sucesso em uma façanha tão perigosa e difícil. Meu projeto é demonstrar-lhe, primeiro, que há uma possibilidade de que a coisa pudesse ser feita; mas, em segundo lugar e *principalmente*, quero causar uma firme impressão em seu intelecto sobre a natureza *muito extraordinária*, quase sobrenatural da agilidade necessária para realizar esse feito.

"Você vai dizer, sem dúvida, usando a linguagem jurídica que, 'para estabelecer meu caso', eu deveria antes subestimar do que insistir sobre um cálculo completo da habilidade requerida para realizar esta proeza. Esta pode ser a prática dos tribunais, mas não é a maneira como se emprega a razão. Meu alvo final é somente a verdade. Meu propósito imediato é conduzi-lo a realizar a justaposição entre esta agilidade *assaz incomum* que acabei de descrever e aquela voz tão *peculiar*, aguda (ou áspera) e *desigual*, sobre cuja nacionalidade não se pôde encontrar duas pessoas que concordassem e em cuja entonação nenhuma sílaba pôde realmente ser detectada."

Ao ouvir estas palavras, uma concepção vaga e ainda meio disforme do significado pretendido por Dupin passou pela minha cabeça. Parecia-me estar à beira da compreensão, sem a capacidade necessária para poder de fato compreender – da mesma forma que as pessoas, por vezes, se acham a ponto de lembrar alguma coisa, sem realmente conseguirem recordar. Meu amigo prosseguiu com seu discurso:

– Você deve ter percebido – disse ele – que transferi a questão do modo de saída para o modo de entrada. Minha intenção era a de transmitir a ideia de que ambas foram efetuadas da mesma maneira e através do mesmo lugar. Vamos retornar ao interior do quarto. Vamos inspecionar as aparências encontradas aqui. As gavetas da cômoda, conforme foi dito, tinham sido revistadas, embora muitos objetos de vestuário ainda permanecessem dentro delas. Esta conclusão é absurda. É apenas uma adivinhação – bastante boba, aliás –, nada mais do que isso. Como podemos saber que os artigos encontrados nas gavetas não eram todo o conteúdo original delas? Madame L'Espanaye e sua filha viviam uma vida extremamente retirada, não recebiam visitas, raramente saíam, portanto tinham pouco uso para numerosas trocas de roupa. As peças encontradas eram de uma qualidade tão boa quanto era provável encontrar na posse dessas senhoras. Se um ladrão tinha levado alguma coisa, por que não pegou o melhor, por que não ficou com tudo? Em uma palavra, por que ele abandonou quatro mil francos em ouro ao mesmo tempo que ia se sobrecarregar com uma trouxa de roupas de linho? O ouro foi deixado intacto. Praticamente a soma inteira mencionada por Monsieur Mignaud, o banqueiro, foi descoberta no assoalho, nas próprias bolsas em que havia sido transportada. Quero que você, portanto, descarte de seus pensamentos a ideia errônea de um *motivo*, criada nos cérebros da polícia com base naquela porção da evidência que fala do dinheiro entregue à porta da casa. Coincidências dez vezes mais notáveis do que esta (a entrega do dinheiro e o assassinato cometido três dias depois que o destinatário o havia recebido) acontecem conosco a cada hora de nossas vidas, sem chamar atenção nem por um momento. Coincidências, em geral, são grandes pedras de tropeço no caminho daquela classe de pensadores que foi educada sem conhecer nada da teoria das probabilidades – aquela teoria à qual os assuntos mais importantes da pesquisa humana estão profundamente endividados, pois dela receberam suas mais gloriosas ilustrações. No caso presente, se o dinheiro tivesse sido roubado, o fato de ter sido entregue três dias antes teria sido muito mais que uma simples coincidência. Teria corroborado a ideia de que o roubo era o verdadeiro motivo. Mas, sob as circunstâncias reais do caso, se supusermos que o ouro era o motivo por trás da carnificina, devemos também imaginar que o perpetrador era um idiota vacilante por haver abandonado ouro e motivo juntos.

"Mantendo agora firmemente em sua memória os pontos para que lhe chamei a atenção – aquela voz peculiar, a agilidade incomum e essa espantosa ausência de motivo para um assassínio tão singularmente atroz como este –, vamos dar uma olhada no próprio processo da carnificina. Temos aqui uma mulher estrangulada apenas com a força das mãos e depois empurrada pelo cano de uma chaminé, com a cabeça para baixo. Os matadores comuns simplesmente não empregam este modo de operação. Pelo menos, eles não dispõem dos assassinados desta maneira. Na forma como o corpo foi empurrado pelo cano da chaminé você admitirá que havia alguma coisa *excessivamente outré* – alguma coisa totalmente irreconciliável com nossas noções sobre o procedimento comum dos seres humanos, mesmo que suponhamos que os atores foram os mais depravados dos homens. Pense, também, em como deve ter sido grande a força necessária para empurrar um cadáver *para cima*, através de uma abertura tão estreita, apertá-lo de tal maneira que o esforço unido de diversas pessoas quase não foi suficiente para puxá-lo *para baixo*!

"Vamos voltar-nos agora para outras indicações do emprego de um vigor realmente maravilhoso. Na parte de baixo da lareira haviam mechas grossas – mechas muito grossas – de cabelo humano grisalho. Estas madeixas tinham sido arrancadas pelas raízes.

Você percebe muito bem a grande força necessária para arrancar de sua cabeça até vinte ou trinta cabelos juntos. Você viu as mechas em questão do mesmo modo que eu. Suas raízes (uma visão horrível!) estavam ainda presas a fragmentos da pele do couro cabeludo – um sinal garantido da energia prodigiosa que tinha sido exercida para arrancar talvez meio milhão de fios de cabelo ao mesmo tempo. A garganta da velha senhora não tinha sido meramente cortada, mas a cabeça totalmente separada do corpo: o instrumento encontrado era apenas uma navalha. Gostaria também que você observasse a ferocidade *brutal* destes atos. Nem sequer falo dos hematomas encontrados no corpo de Madame L'Espanaye. Monsieur Dumas e seu digno coadjutor, Monsieur Etienne, pronunciaram que eles foram infligidos por algum instrumento contundente; nesse ponto, estes cavalheiros estão perfeitamente corretos. O objeto contundente, está claro, foi o pavimento de pedra do pátio, sobre o qual a vítima caiu, lançada pela janela que fica por cima do leito. Esta ideia, por mais simples que possa ser, escapou da polícia pela mesma razão que o comprimento dos postigos não lhes chamou a atenção – porque, devido à questão dos pregos, sua percepção foi hermeticamente selada contra a possibilidade de que as janelas pudessem ter sido abertas durante qualquer momento no decorrer da ação.

"Se agora, em adição a todas estas coisas, você já refletiu sobre a estranha desordem em que foi encontrado o aposento, chegou ao ponto de combinar as ideias de uma agilidade espantosa, uma força sobre-humana, uma ferocidade brutal, uma carnificina sem motivo, uma *grotesquerie* de horror totalmente alheia à humanidade e uma voz que parecia emitida em uma língua estrangeira aos ouvidos de homens de muitas nações, completamente desprovida de toda silabação distinta e inteligível. Que resultado surgiu, então? Que impressão causei sobre sua imaginação?"

Senti minha carne arrepiar-se enquanto Dupin me fazia estas perguntas.

– Um doido – disse eu – praticou essa ação. Um louco furioso, fugido de alguma *Maison de Santé* das proximidades.

– Em alguns respeitos – ele replicou – sua ideia não é irrelevante. Mas as vozes dos alienados, mesmo em seus paroxismos mais ferozes, nunca combinarão com aquela voz peculiar que foi escutada das escadas. Os loucos sempre pertencem a alguma nacionalidade; e sua linguagem, por mais incoerente que seja, tem sempre elementos de silabação. Além disso, o cabelo de um doido não é igual a este que tenho na mão. Retirei este pequeno tufo dos dedos rigidamente fechados de Madame L'Espanaye. Diga-me o que acha dele.

– Dupin! – exclamei, completamente fora de controle. – Este cabelo é muito estranho – este cabelo *não é humano*!

– Não afirmei que fosse – disse ele. – Mas antes de decidirmos este ponto, quero que você dê uma olhada no pequeno esboço que tracei sobre este papel. É um desenho em *fac-simile* do que foi descrito em uma parte dos depoimentos como "manchas escuras e indentações profundas de unhas", encontradas na garganta de Mademoiselle L'Espanaye; e em outra (a parte em que os senhores Dumas e Etienne depuseram) como "uma série de manchas lívidas, evidentemente as impressões de dedos". Você perceberá – continuou meu amigo, abrindo o papel sobre a mesa diante de nós – que este desenho dá a ideia de um apoio firme e fixo. Aparentemente, os dedos não *escorregaram*. Cada dedo reteve – possivelmente até a morte da vítima – a pressão assustadora por meio da qual originalmente se cravou na carne. Tente, agora, colocar todos os seus dedos, ao mesmo tempo, nas impressões respectivas que você está vendo.

Fiz a tentativa, mas em vão.

– É possível que não estejamos fazendo a experiência da maneira mais justa – disse ele. – O papel está estendido sobre uma superfície plana, enquanto a garganta humana é cilíndrica. Aqui está um toco de madeira, cuja circunferência é aproximadamente a mesma de um pescoço. Enrole o desenho em volta dele e experimente de novo.

Foi o que fiz, mas a dificuldade era ainda mais óbvia do que antes.

– Esta marca – afirmei – não foi feita por mão humana!

– Leia agora – replicou Dupin – esta passagem de Cuvier.[35]

---

35. Georges, barão de Cuvier, 1769-1832, cientista francês, pioneiro da antropologia e da paleontologia. (N.T.)

Era uma descrição anatômica minuciosa do grande Orangotango amarelado das ilhas das Índias Orientais. A estatura gigantesca, a força e habilidade prodigiosas, a ferocidade bestial e a capacidade imitativa destes mamíferos são suficientemente bem-conhecidas por todos. Entendi imediatamente o completo horror dos assassinatos.

– A descrição dos dedos – disse eu, quando acabei de ler – concorda exatamente com este desenho. Posso ver que nenhum animal, exceto um orangotango da espécie aqui mencionada, poderia ter causado as marcas da maneira como você as copiou. Este tufo de pelos castanho-amarelados, também, é de caráter idêntico aos da besta descrita por Cuvier. Mas não posso de maneira alguma compreender os detalhes deste mistério assombroso. Além disso, foram escutadas duas vozes discutindo e uma delas era inquestionavelmente a voz de um francês.

– É verdade. E você há de lembrar uma expressão atribuída quase unanimemente pelos depoimentos a esta voz – a interjeição *"mon Dieu!"* Esta, dentro das circunstâncias, foi justamente caracterizada por uma das testemunhas (Montani, o confeiteiro) como expressada em um tom de repreensão ou de reprovação. Foi sobre estas duas palavras, portanto, que construí minhas maiores esperanças de uma solução completa do mistério. Um francês teve conhecimento dos assassinatos. É possível – de fato, mais do que provável – que ele esteja inocente de toda participação nas sangrentas transações que ocorreram. O orangotango pode ter fugido dele.

Ele pode ter encontrado sua pista e chegado até o mesmo aposento; porém, sob as circunstâncias agitadas que se seguiram, ele provavelmente não conseguiu recapturá-lo. Ainda deve estar à solta. Não vou prosseguir nesta linha de adivinhações – por enquanto não tenho o direito de chamá-las de nada mais que isto –, uma vez que as linhas de raciocínio sobre as quais estão embasadas dificilmente têm uma profundidade suficiente para serem apreciadas por meu próprio intelecto. Desse modo, não posso pretender torná-las inteligíveis à compreensão dos outros. Vamos chamar estas ideias simplesmente de adivinhações e tratá-las como tal. Se o francês em questão for, como suponho, inocente desta atrocidade, este anúncio, que eu deixei a noite passada, antes que voltássemos para casa, no escritório do *Le Monde* (um jornal dedicado a interesses marítimos, bastante lido pelos marinheiros), vai trazê-lo à nossa residência.

Entregou-me um jornal, onde li o seguinte:

"CAPTURADO – *No Bois de Boulogne, no princípio da manhã de —— do corrente* (justamente na manhã após os assassinatos), *um orangotango muito grande, de pelagem castanho-amarelada e da espécie de Bornéu. O proprietário (que sabemos ser um marinheiro de um barco maltês) poderá retomar posse do animal, mediante uma identificação satisfatória e o pagamento de algumas taxas por sua captura e manutenção. Procurar na Rua —— nº ——, Faubourg St.-Germain, no Terceiro Distrito de Paris.*"

– Como foi possível – indaguei – que você soubesse que o homem era marinheiro e, além disso, estava engajado em um barco maltês?

– Na verdade, eu *não sei* – disse Dupin. – Eu não tenho *certeza*. Todavia, tenho aqui este pedacinho de fita, que, pelo seu formato e aparência um tanto ensebada, evidentemente foi usado para atar o cabelo em uma dessas longas *queues*[36] de que os marinheiros parecem gostar tanto. Além disso, este nó é de marinheiro, poucas outras pessoas sabem atá-lo; e este, em particular, é característico dos marinheiros de Malta. Eu apanhei a fita ao pé do pararaios. Não podia ter pertencido a qualquer uma das defuntas. Agora, se no final das contas eu estiver errado em minha indução a partir da fita, isto é, que o francês mencionado fosse um marinheiro engajado em um navio maltês, mesmo assim não causei mal algum ao escrever o que coloquei no anúncio. Se eu estiver errado, o proprietário simplesmente pensará que eu fui desorientado por algumas circunstâncias que ele não se dará ao trabalho de investigar. Mas se eu estiver certo, já obtive grande vantagem. Uma vez que participou do assassinato, embora seja inocente, o francês naturalmente hesitará em responder ao anúncio para reclamar o orangotango. Ele vai raciocinar assim: "Eu sou inocente, sou pobre, meu orangotango vale muito – para alguém em minhas condições, vale uma fortuna –; por que eu deveria perdê-lo somente por imaginar que existe algum perigo? Ele está aqui mesmo, ao alcance de

---

36. Tranças. Em francês no original. (N.T.)

meus dedos. Foi encontrado no *Bois de Boulogne* – a uma vasta distância da cena dos assassinatos. Quem jamais vai suspeitar que foi um animal o responsável pelo crime? A polícia não sabe nada; não acharam a mínima pista. Mesmo que pudessem ter reconhecido e acompanhado a pista do animal, seria impossível provar que tenho conhecimento dos assassinatos, muito menos julgar-me culpado em virtude desse conhecimento. Além de tudo, eu já sou *conhecido*. O anunciante me designa claramente como o possuidor da fera. Não tenho certeza até que ponto vai o seu conhecimento. Se eu deixar de reclamar uma propriedade de tão grande valor, que é de conhecimento público que me pertence, despertarei suspeitas, no mínimo, contra o animal. Não é meu interesse atrair atenção nem para mim, nem para a fera. Vou responder ao anúncio, apanhar o orangotango e mantê-lo encerrado até que este assunto seja esquecido".

Nesse momento, escutamos passos na escada que levava à rua.

– Esteja preparado – disse Dupin – para usar as pistolas, mas não atire, nem mostre que está com elas até que lhe faça um sinal.

A porta da frente tinha sido deixada aberta e o visitante havia entrado, sem puxar a corda da campainha e avançado diversos passos pela escada. Todavia, agora ele parecia hesitar. Em seguida, escutamos seus passos enquanto descia. Dupin estava se movendo rapidamente para a porta da sala, quando o escutamos de novo subindo. Desta vez, ele não recuou, mas subiu com decisão e bateu à porta do aposento em que nos achávamos.

– Pode entrar – disse Dupin, com uma voz alegre e calorosa.

Um homem entrou. Evidentemente, era um marinheiro – um homem alto, robusto, musculoso, com uma certa expressão de desafio no rosto, que não era totalmente desagradável. Sua face estava profundamente bronzeada e mais da metade dela oculta pela barba e o *mustachio*.[37] Trazia consigo um grande bastão de carvalho, mas não parecia possuir outras armas. Curvou-se desajeitadamente e nos desejou "boa noite" em francês, em um sotaque que, embora lembrasse o de Neufchâtel, era ainda assim bastante indicativo de sua origem parisiense.

– Sente-se, meu amigo – disse Dupin. – Suponho que veio nos visitar por causa do orangotango. Dou-lhe minha palavra que quase o invejo pela posse de tão belo animal; um animal realmente notável e, sem dúvida, muito valioso. Que idade o senhor pensa que ele tem?

O marinheiro respirou fundo, com o ar de alguém finalmente livre de uma carga intolerável, e então replicou, em um tom cheio de segurança:

– Na verdade, não posso dizer, mas não deve ter mais de quatro ou cinco anos. Ele está aqui em sua casa?

– Claro que não, não temos acomodações para mantê-lo aqui. Encontra-se em um estábulo na rua Dubourg, bem perto daqui. Você poderá retirá-lo

---

37. Bigode. Em italiano no original. (N.T.)

pela manhã. Naturalmente, está preparado para identificar a propriedade?

– Claro que estou, senhor.

– Lamentarei muito me separar dele – disse Dupin.

– Não vou dizer que o senhor se deu a todo esse trabalho por nada, senhor – disse o homem. – Nem pensar nisso. Estou perfeitamente disposto a pagar uma recompensa pela descoberta do animal. Quero dizer, qualquer coisa razoável.

– Bem – replicou meu amigo –, isso é muito justo, sem a menor dúvida. Vamos pensar! Quanto devo pedir? Ah, já sei! Minha recompensa será a seguinte: você vai-me dar todas as informações que tiver sobre aqueles assassínios que ocorreram na rua Morgue.

Dupin pronunciou as últimas palavras em um tom muito baixo e tranquilo. Sem se apressar, ele caminhou até a porta, trancou-a e colocou a chave no bolso. Então tirou uma pistola de dentro do casaco e colocou-a, descansadamente e sem o menor alarde, sobre a mesa.

O rosto do marinheiro ficou tão vermelho como se estivesse sendo estrangulado. Ergueu-se de repente e agarrou seu porrete; porém, no momento seguinte, caiu de volta na cadeira, tremendo violentamente; seu rosto parecia o de um defunto. Não falou uma palavra. Apiedei-me dele do fundo de meu coração.

– Meu amigo – disse Dupin, em um tom bondoso e gentil. – Está alarmando a si mesmo desnecessariamente, sem a menor dúvida. Não pretendemos fazer-lhe mal algum. Eu lhe prometo, por minha honra de cavalheiro, por minha honra de francês, que não temos a intenção de lhe causar a menor injúria. Sei perfeitamente que você é inocente das atrocidades cometidas na rua Morgue. Entretanto, não adiantará nada negar que você está de certo modo implicado nelas. A partir do que eu já disse, você deve saber que tenho meios de informação a respeito desse assunto – meios com que você nem sequer sonha. Agora, o negócio é o seguinte: você não fez nada que pudesse ter evitado – certamente nada que o torne culpado do que aconteceu. Você nem ao menos é culpado de roubo, quando poderia ter roubado com impunidade. Você não tem nada a esconder. Não tem razão alguma para esconder nada. Por outro lado, todos os princípios da honra o obrigam a confessar tudo quanto sabe. Um homem inocente está agora preso, acusado de um crime cujo perpetrador somente você pode apontar.

O marinheiro já havia recobrado em grande parte sua presença de espírito, enquanto Dupin pronunciava estas palavras, mas sua audácia e ousadia originais tinham desaparecido.

– Deus me ajude – disse ele, após uma breve pausa. – Eu *vou* lhe contar tudo o que sei sobre esse negócio. Mas não espero que acredite na metade do que eu disser – seria uma grande tolice de minha parte esperar que me acreditassem. Mesmo assim, eu *sou* inocente e vou descarregar minha consciência, mesmo que tenha de morrer por isso.

Em resumo, o que ele declarou foi o seguinte: recentemente tinha feito uma viagem pelo Arquipélago das Índias. Uma expedição, de que ele fazia parte, desembarcara em Bornéu e dirigira-se ao interior em uma excursão turística. Ele e mais um companheiro tinham capturado o orangotango. Como este companheiro morrera durante a viagem, o animal tornou-se sua propriedade exclusiva. Depois de muitas dificuldades, ocasionadas pela ferocidade intratável de seu cativo durante a viagem de retorno, ele finalmente conseguiu alojá-lo com segurança em sua própria residência de Paris, na qual, para não atrair a curiosidade desagradável de seus vizinhos, o manteve cuidadosamente escondido, até que se recuperasse de uma ferida no pé, provocada por uma farpa de madeira a bordo do navio. Seu propósito final era vender a fera.

Retornando para casa depois de um divertimento noturno de marinheiros, na manhã ou, de fato, na madrugada dos assassinatos, descobriu que o animal ocupava seu próprio quarto, tendo arrombado a porta de um quartinho adjacente, onde ele pensara que estivesse seguramente confinado. Com uma navalha na mão e o rosto coberto de espuma, ele estava sentado frente a um espelho, tentando a operação de barbear-se, que, sem a menor dúvida, observara previamente ser executada por seu dono através do buraco da fechadura do quartinho. Apavorado com a visão de uma arma tão perigosa nas mãos de um animal assim feroz e tão bem-adaptado para usá-la, o homem, durante alguns momentos, ficou sem saber o que fazer. Tinha se acostumado, entretanto, a acalmar a criatura, mesmo quando estava em sua disposição mais selvagem, através do uso de um chicote, e a este recorreu naquele momento. Mas assim que enxergou a chibata, o orangotango saltou pela porta do quarto, desceu as escadas e, do patamar inferior, esgueirou-se para a rua através de uma janela, que, infelizmente, fora deixada aberta.

O francês seguiu a besta desesperadamente, mas o macaco, ainda com a navalha na mão, parava apenas ocasionalmente para olhar e gesticular, como se troçasse de seu perseguidor, até que este quase conseguia alcançá-lo. Então, recomeçava a fuga. Desta maneira, a perseguição continuou por longo tempo. As ruas se achavam profundamente quietas, já que eram quase três da manhã. Ao passar por um beco que ficava por trás da rua Morgue, a atenção do fugitivo foi atraída por uma luz que brilhava através da janela aberta da residência de Madame L'Espanaye, no quarto andar de sua casa. Correndo em direção ao edifício, ele percebeu o para-raios, trepou por ele com agilidade inconcebível, agarrou o postigo, que estava completamente aberto e encostado à parede e, por meio dele, saltou diretamente para a cabeceira da cama. A façanha inteira não durou um minuto. O postigo foi aberto novamente com um pontapé do orangotango, no momento em que entrou no quarto.

O marinheiro, enquanto isso, estava ao mesmo tempo jubiloso e perplexo. Tinha agora fortes esperanças de recapturar o bicho, porque dificilmente poderia escapar da armadilha em que se metera voluntariamente, a não ser pela vara de metal do para-raios, ocasião em que poderia ser interceptado ao tentar descer. Por outro lado, surgiu-lhe uma grande ansiedade em relação ao que ele poderia fazer dentro da casa. Foi esta última reflexão que acicatou o homem para seguir o fugitivo, mesmo nessas condições. Um para-raios pode ser galgado sem dificuldades, especialmente por um marinheiro; porém, quando ele chegou à altura da janela, que ficava bem à sua esquerda, seu caminho foi interrompido; o mais que ele podia fazer era esticar-se até obter uma visão do interior da peça. A visão que se lhe deparou quase o fez cair de seu poleiro, de tão horrível que era. Foi nesse momento que os horrendos gritos se projetaram através da noite, despertando do sono todos os habitantes da rua Morgue. Madame L'Espanaye e sua filha, em seus trajes de dormir, aparentemente estavam arrumando alguns papéis no cofre de ferro que já foi mencionado, o qual tinha rodas e fora assim trazido para o meio do quarto. Este estava aberto e seu conteúdo espalhado pelo chão. As vítimas deviam estar sentadas de costas para a janela; julgando pelo tempo decorrido entre o ingresso da fera e os gritos, parece provável que esta não tenha sido percebida de imediato. A batida do postigo teria sido naturalmente atribuída à ação do vento.

No momento em que o marinheiro olhou para dentro, o animal gigantesco tinha agarrado Madame L'Espanaye pelos cabelos (que estavam soltos, porque ela os estivera penteando) e estava fazendo floreios com a navalha diante de seu rosto, em imitação dos movimentos de um barbeiro. A filha tinha desmaiado e estava deitada e imóvel. Os gritos e a luta da velha senhora (durante a qual os cabelos foram arrancados de sua cabeça) tiveram o efeito de transformar a intenção provavelmente pacífica do orangotango em um acesso de raiva. Com um golpe determinado de seu braço musculoso, ele quase separou-lhe a cabeça do corpo com a navalha. A vista do sangue inflamou-lhe a cólera a um frenesi. Rangendo os dentes e com os olhos brilhando como se estivessem em fogo, lançou-se sobre o corpo da moça e cravou-lhe as unhas temíveis na garganta, mantendo o aperto até que ela expirou. Seu olhar errante e selvagem caiu nesse momento sobre a cabeceira da cama, através da qual era apenas discernível o rosto de seu amo, rígido de horror. A fúria da besta, que sem dúvida ainda se lembrava do temido chicote, foi instantaneamente convertida em medo. Sabendo que era merecedor de um castigo, o animal parecia querer esconder seus feitos sanguinolentos e ficou pulando pelo quarto em uma agitação nervosa, derrubando e quebrando o mobiliário enquanto se movia, e arrancando o colchão de cima do estrado. Em conclusão, pegou primeiro o cadáver da filha e empurrou-o chaminé acima, da maneira como foi encontrado; então, agarrou o cadáver da velha senhora, que imediatamente lançou pela janela, também de cabeça para baixo.

No momento em que o macaco se aproximou da janela com sua carga mutilada, o marinheiro encolheu-se apavorado na direção do para-raios; e mais escorregando do que descendo por ele, fugiu de imediato para casa – temendo as consequências do massacre e abandonando com prazer, em seu terror, todas as considerações pelo destino do orangotango. As palavras escutadas pelo grupo que subira as escadas eram as exclamações de medo e horror do francês, misturadas aos balbucios diabólicos da fera.

Resta muito pouco a acrescentar. O orangotango deve ter escapado do quarto pelo próprio para-raios, momentos antes que a porta fosse arrombada. Deve ter fechado a janela acidentalmente enquanto passava por ela. Subsequentemente, ele foi capturado pelo próprio dono, que obteve por ele uma soma importante no *Jardin des Plantes*. Le Bon foi imediatamente libertado, assim que nosso depoimento com a narrativa das circunstâncias (mais alguns comentários de Dupin) foi prestado no gabinete do chefe de polícia. Este funcionário, embora apresentasse bastante boa disposição com relação a meu amigo, não pôde esconder totalmente seu desapontamento perante a feição que o caso tinha assumido e chegou mesmo a proferir uma ou duas frases sarcásticas sobre a necessidade de todas as pessoas tratarem somente de seus próprios negócios.

– Deixe que ele fale – disse Dupin, que não se tinha dado ao trabalho de responder. – Deixe que ele faça o seu discurso, vai aliviar-lhe a consciência. Estou satisfeito porque consegui derrotá-lo em seu próprio castelo. Não obstante, o fato de que ele falhou na solução deste mistério não é em absoluto um motivo para tanto espanto como ele supõe, porque, na realidade, nosso amigo, o chefe de polícia, é um pouco esperto demais para ser profundo. Não existe *vigor* em sua sabedoria. Não passa de uma cabeça sem corpo, como as representações da Deusa Laverna; ou, no máximo, cabeça e ombros, como um bacalhau. Mas, apesar de tudo, ele é um bom sujeito. Gosto dele especialmente por um golpe de mestre de hipocrisia, através do qual ele adquiriu sua reputação de engenhosidade. Refiro-me ao hábito que ele tem *"de nier ce qui est, et d'expliquer ce qui n'est pas"*.[38]

---

38. Rousseau – *Nouvelle Héloise*. (N.A.) O texto francês significa "de negar o que é e explicar o que não é". Jean-Jacques Rousseau, 1712-1778, escritor, compositor, filósofo e moralista francês. (N.T.)

Cronologia

1809 Boston. Nascido a 19 de janeiro.

1811 Richmond, Virginia. A mãe de Poe morre em dezembro, deixando três filhos pequenos aos cuidados de amigos. Edgar Poe é levado para a casa de John Allan, um comerciante de Richmond.

1815-1820 Londres. Frequenta academias clássicas na Inglaterra, enquanto Allan cuida de seus interesses comerciais.

1820-1825 Richmond. Os Allan retornam aos Estados Unidos em 1820. Poe é matriculado em duas academias de Richmond, onde se destaca em línguas, esportes e travessuras. Compõe diversas sátiras em verso, no formato de dísticos ou parelhas, todas perdidas atualmente, à exceção de "O, Tempora! O, Mores!" (Que tempos! Que costumes!).

1826 Charlottesville. Ingressa na Universidade de Virginia e se destaca em Línguas Românicas antigas e modernas (neolatinas). Perde dois mil dólares no jogo; Allan se recusa a pagar a dívida e retira Poe da universidade.

1827-1828 Boston e Charleston. Engaja-se no exército dos Estados Unidos sob o pseudônimo de "Edgar A. Perry", sendo designado para Fort Independence no porto de Boston. Nesse verão, vê impresso seu primeiro livro – um pequeno volume de menos de doze peças poéticas, *Tamerlane and Other Poems*, escritos "Por um Bostoniano", o qual, além do trabalho que lhe dá o título, inclui poemas como "Dreams" (Sonhos), "Visit of the Dead" (A visita dos mortos), "Evening Star" (Estrela vespertina) e "Imitation" (Imitação), revisado como "A Dream Within a Dream" (Um sonho dentro de um sonho). Em novembro de 1827, a unidade de Poe é transferida para o sul dos Estados Unidos.

1829 Richmond, Filadélfia, e Baltimore. Em abril, algumas semanas após a morte da senhora Allan, Poe dá baixa do exército. Encontra um editor para uma edição levemente aumentada de seus poemas em Baltimore, onde vive por algum tempo com parentes. Em dezembro, *Al Aaraaf, Tamerlane and Minor Poems* aparece, com o acréscimo de meia dúzia de novos trabalhos às versões revisadas dos poemas de *Tamerlane,* incluindo o irônico "Sonnet – To Science" (Soneto à ciência), o burlesco "Fairy-Land" (O país das fadas) e um "Preface" em verso (que posteriormente foi expandido para originar uma "Introduction" meio séria, meio cômica para a edição de 1831 dos poemas; e, ainda mais tarde, reduzido para "Romance").

1830 West Point. Ingressa na Academia Militar de West Point. Novamente se destaca em línguas. Torna-se conhecido entre os cadetes por seus versos cômicos a respeito dos oficiais. Enquanto isso, John Allan se casa novamente e descobre uma carta em que Poe comenta que "O sr. A. não se encontra muito frequentemente sóbrio" (datada de 3 de maio de 1830), que serve de motivo para que corte relações com Poe.

1831 Nova York e Baltimore. Não recebendo mais a mesada de Allan, Poe dá um jeito de "desobedecer ordens" (aparentemente sem envolver nada mais sério que faltar a aulas ou deixar de ir aos serviços religiosos) e deste modo obtém baixa do exército. *Poems: Second Edition*, agora sob o nome de "Edgar A. Poe" é publicado em Nova York nessa primavera. Inclui extensas revisões de "Tamerlane", "Al Aaraaf" e outros de seus primeiros poemas, do mesmo modo que meia dúzia de composições novas: "To Helen", "Israfel", "The Doomed City" (A cidade condenada) que foi posteriormente revisado como "The City in the Sea" (A cidade do mar), "Irene" (posteriormente revisado como

"The Sleeper" – A adormecida), "A Paean" (revisado como "Lenore") e "The Valley Nis" (revisado como "The Valley of Unrest" – O vale da inquietação). O volume também inclui uma introdução em prosa, intitulada "Letter to Mr. —— ——", que expõe uma visão da arte altamente romântica. Passa a viver com sua tia, Maria Clemm, e sua prima, Virginia, em Baltimore. Submete vários contos a um concurso anunciado pelo jornal *Philadelphia Saturday Courier*.

1832 Baltimore. O *Courier* publica cinco de seus contos satíricos ou burlescos a intervalos regulares, entre janeiro e dezembro: "Metzengerstein", "The Duke de L'Omelette", "A Tale of Jerusalem", "A Decided Loss" (Uma perda inegável), primeira versão de "Loss of Breath" (Perda de respiração); e "The Bargain Lost" (O negócio gorado), primeira versão de "Bon-Bon".

1833-1834 Baltimore. No verão de 1833, Poe apresenta outro conjunto de contos em um concurso patrocinado pelo *Baltimore Saturday Visiter*; estes são a primeira série de uma coleção de paródias que nunca chegou a ser publicada. Poe pretendia intitulá-la *The Tales of the Folio Club*, que nesta ocasião incluíam, além das cinco histórias publicadas no *Courier*, "Some Passages in the Life of a Lion" (depois "Lionizing") (Algumas passagens da vida de um leão – depois Celebridade); "The Visionary" (depois revisado como "The Assignation" – A atribuição); "Shadow" (Sombra); "Epimanes" (depois "Four Beasts in One" – Quatro feras em uma); "Siope" (mais tarde, "Silence"); e "MS. Found in a Bottle" (Manuscrito encontrado em uma garrafa). Este último ganha o primeiro prêmio de cinquenta dólares, enquanto "The Coliseum" recebe o segundo lugar na competição de poesia; ambos são impressos pelo *Visiter* em outubro de 1833. Vende "The Visionary" para a revista *Godey's Lady's Book*, onde aparece em janeiro de 1834, sendo a primeira publicação de Poe em uma revista de ampla circulação. Em março de 1834, morre John Allan, omitindo qualquer menção a Poe em seu testamento.

1835 Richmond. Passa a colaborar no jornal *Messenger* em março; envia grande número de trabalhos para suas páginas durante esse ano: diversos poemas, a primeira parte de um drama em versos, *Politian*; e cinco contos novos, o gótico "Morella", o gótico-burlesco "Berenice", o cômico "Hans Phaal", o satírico "King Pest" e o pseudogótico "Shadow" (Sombra). Além disso, escreve uma coluna sobre eventos literários correntes e faz mais de trinta revisões de livros. Entre as revisões, encontra-se uma demolição da novela *Norman Leslie*, de autoria de Theodore S. Fay. Estas revisões, combinadas a seus ataques constantes às "cliques literárias" nortistas, começaram a granjear para Poe o título de "Tomahawk Man" (O homem da machadinha). A circulação do *Messenger* subiu dramaticamente. Enquanto isso, de Baltimore, Maria Clemm sugere que Virginia pode passar a morar com um de seus primos e Poe prontamente escreve para pedir a mão de Virginia em casamento. Em setembro, ele retorna a Baltimore, ocasião em que pode ter casado secretamente com ela. Em outubro, Poe traz Maria Clemm e Virginia para Richmond. Em dezembro, White, o proprietário do jornal, oferece a Poe o cargo de editor do *Messenger*, que agora goza de plena prosperidade.

1836 Richmond. Em maio, Poe casa-se publicamente com Virginia Clemm, que ainda não completou quatorze anos. Seu trabalho constante para tornar o *Messenger* uma das mais importantes publicações de crítica literária é indicado pelo grande número de revisões que ele escreve para serem publicadas nele – mais de oitenta. Entre estas se encontra outra sátira flamejante, a revisão da novela *Paul Ulric*, de Morris Matson; outras revisões incluem, além de ataques contra escritores presentemente esquecidos, duas revisões louvando os primeiros trabalhos de Dickens, além de exercícios sobre definição crítica.

1837-1838 Nova York e Filadélfia. Disputa com White por considerar baixo o seu salário, em janeiro de 1837; pede demissão do *Messenger* e leva sua pequena família para Nova York. Passa os dois anos seguintes como contribuidor independente em Nova York e Filadélfia, antes de conseguir outro cargo de editor. Publica poemas e contos, incluindo a história cômica "Von Jung the Mystic", o conto gótico "Ligeia" e as duas histórias satíricas que formam um conjunto, "How to Write a Blackwood Article" (Como escrever um artigo de Blackwood)[39] e "The Scythe of Time" (A foice do tempo), mais tarde reintitulada "A Predicament" (Uma situação embaraçosa). Em julho de 1838, sua única novela, *O relato de Arthur Gordon Pym*,[40] que tinha sido publicada em forma de seriado no *Messenger*, durante o ano de 1837, agora é publicada em Nova York, sob formato de livro.

1839 Filadélfia. Relaciona-se com William Burton e, em maio, torna-se editor associado da revista *Burton's Gentleman's Magazine*, contribuindo com um artigo assinado por mês, além de escrever a maior parte das revisões de livros. Suas primeiras contribuições incluem o conto satírico "The Man That Was Used Up" (O homem que foi consumido) e os contos góticos "The Fall of the House of Usher" e "William Wilson" (ambos publicados neste volume). Envolveu-se na redação de um livro-texto de caráter duvidoso, *The Conchologist's First Book* (O primeiro livro do conquiliologista), de autoria de Richard James Wyatt. Começa sua primeira série de soluções de criptogramas na revista *Alexander's Weekly Messenger*.

1840 Filadélfia. Publica *Tales of the Grotesque and Arabesque*, reimpressão de vinte e quatro de seus contos, com a adição de uma história cômica ainda não publicada, "Why the Little Frenchman Wears his Hand in a Sling?" (Por que o francesinho usa uma tipoia?). Discute com William Burton e é demitido. Em um esforço para fundar sua própria revista literária, ele distribui uma circular denominada "Prospectus for *The Penn Magazine*", mas não obtém apoio financeiro suficiente. Publica "Sonnet – Silence", o conto satírico "The Businessman" (O comerciante) e o texto apócrifo que intitulou "The Journal (O diário) of Julius Rodman". Em

---

39. Refere-se a William Blackwood, 1776-1834, editor escocês. (N.T.)
40. Publicado sob o nº 7 da Coleção L&PM Pocket. (N.T.)

novembro, Burton vende sua revista para George Graham, que a unifica com sua própria revista, *The Casket* (O ataúde) para formar a *Graham's Magazine*. Apesar de sua discussão com Poe no início do ano, aparentemente Burton o recomenda a Graham e, em dezembro, Poe contribui com o conto gótico "The Man in the Crowd" (O homem da multidão) para o primeiro número da "nova" revista.

1841 Filadélfia. Torna-se editor associado de *Graham's*. Contribui com a história de raciocínio detetivesco, "The Murders in the Rue Morgue" (Os assassinatos da rua Morgue); a aventura gótica "A Descent into the Maelström" (Descida ao redemoinho ou Descida ao Maelström); o idílio soturno "The Island of the Fay" (A ilha da fada); o irônico "Colloquy of Monos and Una"; e o satírico "Never Bet the Devil Your Head" (Nunca aposte sua cabeça com o Diabo). Continua a publicar em outras revistas, notadamente "Eleonora", em *The Gift*, ao passo que, em um artigo publicado pelo *Saturday Evening Post*, prediz com acurácia o desfecho de *Barnaby Rudge*, novela de Dickens, a partir do primeiro capítulo.

1842 Filadélfia. Em janeiro, Virgínia sofre uma hemorragia, primeiro sinal sério de uma doença que levará sua vida cinco anos depois. Poe encontra-se com Dickens. Demite-se da revista *Graham's* depois de uma disputa sobre privilégios editoriais. Trabalha em uma nova coleção de histórias em dois volumes, em que obras cômicas são cuidadosamente alternadas com trabalhos sérios, a ser intitulada *Phantasy-Pieces*, em imitação do livro alemão *Phantasiestücke*, que nunca chega a ser publicado.[41] No outono, publica "The Pit and the Pendulum" (O poço e o pêndulo); "The Landscape Garden" (O jardim formal) e "The Mystery of Marie Roget".

1843 Filadélfia. Passa a colaborar na nova revista de James Russell Lowell, *The Pioneer* (O pioneiro), publicando em suas páginas "Lenore", "The Tell-Tale Heart" (O coração denunciador) e um ensaio sobre versos ingleses (que mais

---
41. Peças de fantasia ou Peças fantásticas. (N.T.)

tarde se torna "The Rationale of Verse" – Os fundamentos lógicos do verso). Todavia, a revista só publica três números e Poe novamente tenta estabelecer uma revista independente, que desta vez se deveria chamar *The Stylus,* e falha de novo. Em junho, *"The Gold Bug"* (O escaravelho de ouro) ganha um prêmio de cem dólares oferecido pelo *Dollar Newspaper*, de Filadélfia, que é amplamente reimpresso. Encorajado pelo sucesso imediato dessa história, Graham começa a "publicação em partes" de *The Prose Romances of Edgar A. Poe,* cujo primeiro número apresenta o conto sério "The Murders in the Rue Morgue" juntamente com o cômico "The Man That Was Used Up". No outono, o conto gótico "The Black Cat" (O gato preto) é seguido pelas histórias cômicas "The Elk" (O alce) e "Diddling Considered As One of the Exact Sciences" (A trapaça considerada como uma ciência exata). Começa um circuito de conferências em novembro, com o tema "Poets and Poetry in America".

1844 Filadélfia e Nova York. Continua suas conferências sobre a poesia americana, ao mesmo tempo que contribui para grande variedade de revistas. Notáveis são a história cômica "The Spectacles" (Os óculos) e o conto de ocultismo "The Tale of the Ragged Mountains" (Conto das montanhas escarpadas). Consegue um emprego como redator no *New York Evening Mirror* e transfere sua família para Nova York, notabilizando sua chegada com uma fraude jornalística que alcança pleno sucesso no *New York Sun*, sobre uma pretensa viagem de balão através do Atlântico. Continua a publicar prolificamente em grande variedade de revistas e jornais as histórias tragicômicas: "The Premature Burial" (O funeral prematuro); "Mesmeric Revelation" (Revelação hipnótica) e "The Oblong Box" (A caixa comprida) e a sátira cômica "The Angel of the Odd" (O anjo da estranheza), que são seguidas pela peça de raciocínio "The Purloined Letter" (A carta roubada), seguida, por sua vez, por "Thou Art the Man" (Tu és o homem), uma paródia do gênero das histórias de detetive que ele tinha popularizado, se é que não foi seu inventor, durante os últimos três anos. Veio depois "The Literary Life of Thingum Bob", uma sátira sobre Graham e outros editores. Em dezembro, ele começou a coluna *Marginalia* (Notas à margem) na *Democratic Review*, uma série contínua de comentários breves e aleatórios sobre leitura, escrita e os caprichos da vida.

1845 Nova York. Em janeiro, aparece "The Raven" (O corvo) no *Evening Mirror*. Continua sua turnê de conferências. Publica as histórias satíricas "The Thousand and Second Tale of Scheherazade" (A milésima-segunda história de Scheherazade) e "Some Words with a Mummy" (Algumas palavras com uma múmia), seguidas pelo conto "filosófico", "The Power of Words" (O poder das palavras) e o tragicômico "Imp of the Perverse" (O demônio da perversidade, neste volume). Passa a colaborar com a *Broadway Journal*. Reimprime nela muitos de seus poemas e contos, do mesmo modo que contribui com mais de sessenta revisões ou ensaios literários. Começa a "Little Longfellow War" (A pequena guerra com Longfellow), uma série de cinco artigos em que acusa de plágio Longfellow, uma das figuras literárias mais populares em sua época. Em junho, Evert Duyckinck escolhe doze das histórias de Poe e as publica através da firma nova-iorquina Wiley and Putnam, sob o título de *Tales*. Em outubro, continuando suas conferências e leituras ao público, Poe lê "Al Aaraaf", no Liceu de Boston, apresentando a peça, por brincadeira, como sendo de outro autor. Enquanto isto, os editores da *Broadway Journal* tinham se desentendido, o que levou Poe a pedir grandes somas emprestadas a seus amigos, de modo que, finalmente, se bem que por um período breve, se torna proprietário e editor de sua própria revista. Continua a publicar em diversas outras revistas; notavelmente, "The System of Dr. Tarr and Prof. Fether" e o tragicômico "Facts in the Case of M. Valdemar" (Os fatos que envolveram o caso de Mr. Valdemar). No final desse ano, Wiley and Putnam publicam *The Raven and Other Poems* (O corvo e outros poemas).

1846 Nova York. Durante o inverno, uma doença força Poe a interromper a publicação da *Broadway Journal*, que havia sofrido prejuízos durante o ano de 1845. Contribui com o conto tragicômico "The Sphinx" (A esfinge) e o ensaio semissarcástico "Philosophy of Composition" para outras revistas. Começa em maio "The Literati of New York City" na *Godey's*, uma série de esboços levemente satíricos de escritores nova-iorquinos bem-conceituados, inclusive Thomas Dunn English, que publica uma réplica encolerizada no *Evening Mirror*. Poe faz a tréplica em julho e, ao mesmo tempo, processa o *Mirror*, que havia impresso diversos outros ataques à sua pessoa. Embora ele vença o processo de difamação em fevereiro seguinte, Godey encerra a coluna após seu sexto artigo, publicado em novembro. Poe conclui o ano com "The Cask of Amontillado" (O barril de amontillado).

1847 Nova York. Em janeiro, morre Virginia, o que introduz o ano menos produtivo de Poe, durante o qual ele sofre de profunda depressão e busca socorro na embriaguez. Tudo quanto ele completa, além de versões atualizadas da revisão da obra de Hawthorne, publicada anteriormente em 1842, e de "The Landscape Garden", são dois poemas: um deles "M. L. S.", dedicado a Marie Louise Shew, a mulher que cuidou de Virginia nos últimos estágios de sua doença; e o outro, "Ulalume", publicado em dezembro.

1848 Nova York. Em fevereiro, faz uma conferência intitulada "The Universe", na New York Society Library, um ensaio sobre o princípio da morte e da aniquilação como parte dos desígnios do Universo, que ele revisa para publicação em formato de livro no mês de julho como *Eureka*. Tenta uma série de ligações românticas: com Marie Louise Shew no princípio do ano; com Annie Richmond, na metade; e com Sarah Helen Whitman, no final do ano. A sra. Whitman, uma viúva, noiva com Poe durante um breve período, mas logo rompe o noivado. No outono, em profunda depressão, ele pode ter tomado uma grande dose de láudano. Enquanto isso, "The Rationale of Verse" é publicado, juntamente com um segundo poema, "To Helen" (dedicado a Helen Whitman). Em dezembro, ele lê "The Poetic Principle" como uma conferência em Providence.

1849 Nova York, Richmond e Baltimore. Embora ele continue a contribuir para grande variedade de revistas, neste período seu principal publicador é o *Flag of Our Union*, de Boston, um semanário bastante popular. Ali ele publica três poemas, de março a julho, incluindo o irônico "Eldorado" e "For Annie". Também publica quatro contos, o tragicômico "Hop-Frog" (publicado neste volume); a falsa reportagem sobre a Corrida do Ouro, "Von Kempelen and His Discovery"; a sátira "X-ing a Paragrab"; e o idílico "Landor's Cottage" (A cabana de Landor). No verão, passa dois meses em Richmond, onde propõe casamento a Sarah Elmira Royster Shelton, sua namorada de infância (agora viúva) e aparentemente é aceito. Vai a Baltimore no final de setembro, onde parece ter se entregado a uma bebedeira contínua. Foi encontrado semiconsciente em frente ao local em que funcionava uma seção eleitoral, no dia três de outubro. Morre na manhã de domingo, dia sete de outubro, de "congestão cerebral" – uma lesão do cérebro, talvez complicada por uma inflamação intestinal, um coração enfraquecido e diabetes. Sua morte é seguida pelo afrontoso e ofensivo aviso de óbito, escrito por Griswold, e pela publicação de dois de seus mais belos poemas, ambos tratando do triunfo final da morte: "Annabel Lee", no dia nove de outubro, e "The Bells" (Os sinos), no princípio de novembro.

Coleção **L&PM** POCKET (Lançamentos mais recentes)

1245. **Morte por afogamento e outras histórias** – Agatha Christie
1246. **Assassinato no Comitê Central** – Manuel Vázquez Montalbán
1247. **O papai é pop** – Marcos Piangers
1248. **O papai é pop 2** – Marcos Piangers
1249. **A mamãe é rock** – Ana Cardoso
1250. **Paris boêmia** – Dan Franck
1251. **Paris libertária** – Dan Franck
1252. **Paris ocupada** – Dan Franck
1253. **Uma anedota infame** – Dostoiévski
1254. **O último dia de um condenado** – Victor Hugo
1255. **Nem só de caviar vive o homem** – J.M. Simmel
1256. **Amanhã é outro dia** – J.M. Simmel
1257. **Mulherzinhas** – Louisa May Alcott
1258. **Reforma Protestante** – Peter Marshall
1259. **História econômica global** – Robert C. Allen
1260(33). **Che Guevara** – Alain Foix
1261. **Câncer** – Nicholas James
1262. **Akhenaton** – Agatha Christie
1263. **Aforismos para a sabedoria de vida** – Arthur Schopenhauer
1264. **Uma história do mundo** – David Coimbra
1265. **Ame e não sofra** – Walter Riso
1266. **Desapegue-se!** – Walter Riso
1267. **Os Sousa: Uma família do barulho** – Mauricio de Sousa
1268. **Nico Demo: O rei da travessura** – Mauricio de Sousa
1269. **Testemunha de acusação e outras peças** – Agatha Christie
1270(34). **Dostoiévski** – Virgil Tanase
1271. **O melhor de Hagar 8** – Dik Browne
1272. **O melhor de Hagar 9** – Dik Browne
1273. **O melhor de Hagar 10** – Dik e Chris Browne
1274. **Considerações sobre o governo representativo** – John Stuart Mill
1275. **O homem Moisés e a religião monoteísta** – Freud
1276. **Inibição, sintoma e medo** – Freud
1277. **Além do princípio de prazer** – Freud
1278. **O direito de dizer não!** – Walter Riso
1279. **A arte de ser flexível** – Walter Riso
1280. **Casados e descasados** – August Strindberg
1281. **Da Terra à Lua** – Júlio Verne
1282. **Minhas galerias e meus pintores** – Kahnweiler
1283. **A arte do romance** – Virginia Woolf
1284. **Teatro completo v. 1: As aves da noite** *seguido de* **O visitante** – Hilda Hilst
1285. **Teatro completo v. 2: O verdugo** *seguido de* **A morte da patriarca** – Hilda Hilst
1286. **Teatro completo v. 3: O rato no muro** *seguido de* **Auto da barca de Camiri** – Hilda Hilst
1287. **Teatro completo v. 4: A empresa** *seguido de* **O novo sistema** – Hilda Hilst
1288. **Fora de mim** – Martha Medeiros
1290. **Divã** – Martha Medeiros
1291. **Sobre a genealogia da moral: um escrito polêmico** – Nietzsche
1292. **A consciência de Zeno** – Italo Svevo
1293. **Células-tronco** – J. A. Pinheiro Machado
1294. **O fim do ciúme e outros contos** – Proust
1295. **A jangada** – Júlio Verne
1296. **A ilha do dr. Moreau** – H.G. Wells
1297. **Ninho de fidalgos** – Ivan Turguêniev
1298. **Jane Eyre** – Charlotte Brontë
1299. **Sobre gatos** – Bukowski
1300. **Sobre o amor** – Bukowski
1301. **Escrever para não enlouquecer** – Bukowski
1302. **222 receitas** – J. A. Pinheiro Machado
1303. **Reinações de Narizinho** – Monteiro Lobato
1304. **O Saci** – Monteiro Lobato
1305. **Memórias da Emília** – Monteiro Lobato
1306. **O Picapau Amarelo** – Monteiro Lobato
1307. **A reforma da Natureza** – Monteiro Lobato
1308. **Fábulas** *seguido de* **Histórias diversas** – Monteiro Lobato
1309. **Aventuras de Hans Staden** – Monteiro Lobato
1310. **Peter Pan** – Monteiro Lobato
1311. **Dom Quixote das crianças** – Monteiro Lobato
1312. **O Minotauro** – Monteiro Lobato
1313. **Um quarto só seu** – Virginia Woolf
1314. **Sonetos** – Shakespeare
1315(35). **Thoreau** – Marie Berthoumieu e Laura El Makki
1316. **Teoria da arte** – Cynthia Freeland
1317. **A arte da prudência** – Baltasar Gracián
1318. **O louco** *seguido de* **Areia e espuma** – Khalil Gibran
1319. **O profeta** *seguido de* **O jardim do profeta** – Khalil Gibran
1320. **Jesus, o Filho do Homem** – Khalil Gibran
1321. **A luta** – Norman Mailer
1322. **Sobre o sofrimento do mundo e outros ensaios** – Schopenhauer
1323. **Epidemiologia** – Rodolfo Saracci
1324. **Japão moderno** – Christopher Goto-Jones
1325. **A arte da meditação** – Matthieu Ricard
1326. **O adversário secreto** – Agatha Christie
1327. **Pollyanna** – Eleanor H. Porter
1328. **Espelhos** – Eduardo Galeano
1329. **A Vênus das peles** – Sacher-Masoch
1330. **O 18 de brumário de Luís Bonaparte** – Karl Marx
1331. **Um jogo para os vivos** – Patricia Highsmith
1332. **A tristeza pode esperar** – J.J. Camargo
1333. **Vinte poemas de amor e uma canção desesperada** – Pablo Neruda
1334. **Judaísmo** – Norman Solomon
1335. **Esquizofrenia** – Christopher Frith & Eve Johnstone
1336. **Seis personagens em busca de um autor** – Luigi Pirandello
1337. **A Fazenda dos Animais** – George Orwell
1338. **1984** – George Orwell
1339. **Ubu Rei** – Alfred Jarry
1340. **Sobre bêbados e bebidas** – Bukowski
1341. **Tempestade para os vivos e para os mortos** – Bukowski

lepmeditores
www.lpm.com.br
o site que conta tudo

IMPRESSÃO:

PALLOTTI
GRÁFICA

Santa Maria - RS | Fone: (55) 3220.4500
www.graficapallotti.com.br